한자능력검정시험 대비
하루 한장 **급수 한자** 100자 학습

> 한자를 잘 알면 문해력도 뛰어날까요?
> 그렇습니다!
> 우리말의 70% 이상이 한자로 이루어진 한자어이기 때문에
> 한자를 잘 알면 모르는 단어의 뜻을 유추할 수 있어서
> 글을 읽고 이해하는 능력이 높아지는 것이지요.
>
> 한자 공부는 어떻게 해야 할까요?
> 한자는 낱글자 하나하나를 무작정 암기하기보다는
> 그 한자가 쓰인 한자어를 함께 익히는 것이 효율적이에요.
> 그래야 우리말 어휘 실력도 쑥쑥 늘어난답니다.
>
> 한자 급수 시험에 도전하는 건 어떨까요?
> 한자 급수 시험은 일상 언어생활에서 많이 사용되는
> 기초 한자와 한자어를 수준별로 익히는 것이 목표랍니다.
> 그래서 한자 급수 시험은 체계적인 한자 공부와 함께
> '합격'이라는 성취감을 맛볼 수 있는 좋은 도전이지요.
>
> 한자 급수 시험은 어떻게 준비하면 좋을까요?
> "하루 한장 급수 한자"로 쉽고 재미있게 시작해 보세요.
> 완벽한 시험 대비는 물론, 우리말 어휘력과 문해력까지 꽉 잡는
> 일석이조(一石二鳥)의 효과를 볼 수 있답니다.

이 책의 구성과 특징

直 力
心

주제별 매일 학습

서로 관련 있는 한자를 모아 하루에 네 자씩 익혀요.

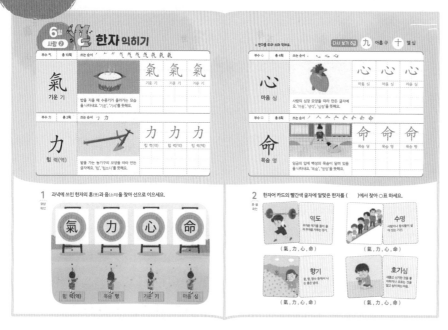

- 한자의 모양과 만든 원리를 함께 익히고, 쓰는 순서에 맞게 따라 쓰며 한자를 익힙니다.

- 놀이형 문제를 풀며 급수 한자와 한자가 쓰인 한자어를 재미있게 익힙니다.

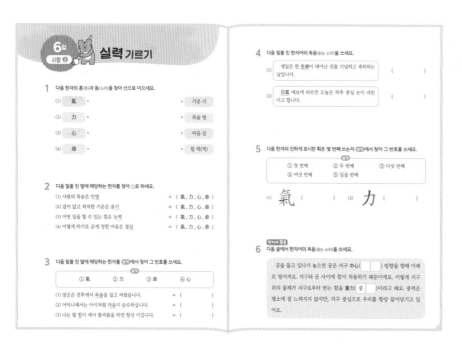

- 한자능력검정시험 유형에 가까운 기초 문제를 풀면서 한자 실력을 키우고 급수 시험 문제 유형도 익힙니다.

- 교과서와 실생활에서 접한 한자어가 쓰인 짧은 지문을 읽으며 한자어 활용 능력을 향상시킵니다.

" 매일매일 한자와 한자어를 익혀 어휘력을 키워요! "

주제별 정리 학습 주제별로 학습한 한자를 모아 정리하고 복습해요.

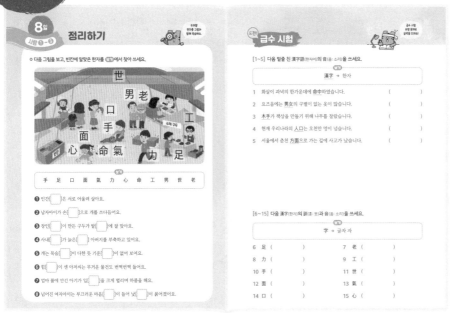

- 주제별 한자를 그림으로 한눈에 확인하고, 자주 쓰이는 한자 표현을 문장에 적용하며 깊이 있게 이해합니다.

- 한자능력검정시험의 기출 유형 문제를 40문제씩 풀어 보며 문제 해결 능력을 기르고, 시험에 대한 자신감을 높입니다.

한자능력검정시험 대비 모의 시험 1~3회

- 한자능력검정시험 유사 문제를 풀며 실전 감각을 기르고, 실제 한자능력검정시험을 완벽하게 대비합니다.

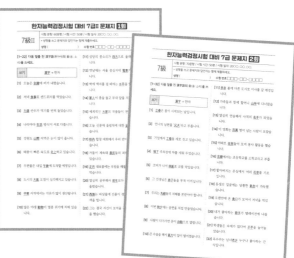

특별부록

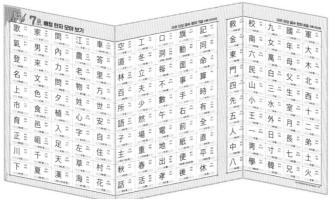

7급 배정 한자 브로마이드

이 책의 차례

한자 익히기

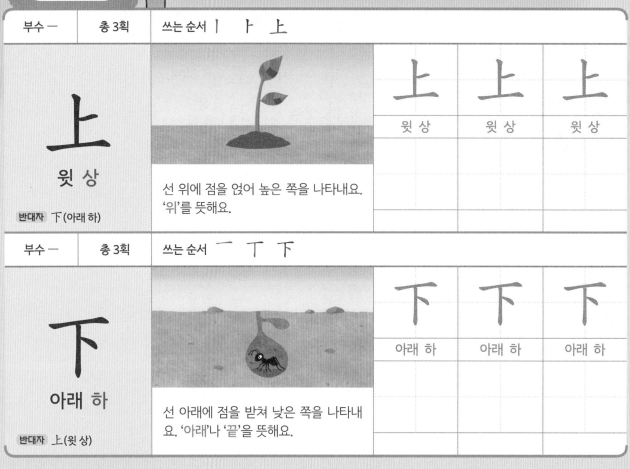

부수 一	총 3획	쓰는 순서 丨 ⺊ 上

上
윗 상

반대자 下(아래 하)

上	上	上
윗 상	윗 상	윗 상

선 위에 점을 얹어 높은 쪽을 나타내요. '위'를 뜻해요.

부수 一	총 3획	쓰는 순서 一 丅 下

下
아래 하

반대자 上(윗 상)

下	下	下
아래 하	아래 하	아래 하

선 아래에 점을 받쳐 낮은 쪽을 나타내요. '아래'나 '끝'을 뜻해요.

1 한자의 훈(뜻)과 음(소리)을 보기 에서 찾아 같은 색으로 칠하세요.

모양 확인

보기

윗 상 ● 　 아래 하 ● 　 앞 전 ● 　 뒤 후 ●

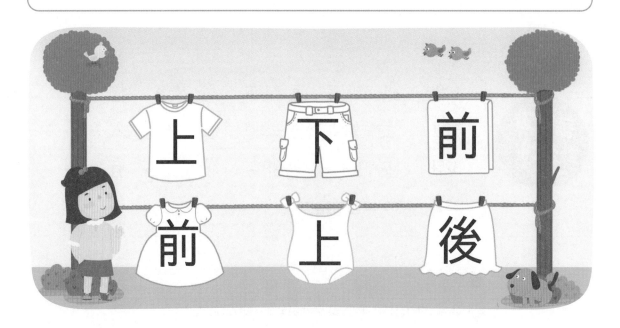

● 한자를 따라 쓰며 익혀요.

부수 刂(刀)	총 9획	쓰는 순서 ` `' `''` 广 产 肀 前 前 前

前
앞 전

반대자 後(뒤 후)

배가 나아가는 쪽을 나타내요. '앞'을 뜻해요.

前	前	前
앞 전	앞 전	앞 전

부수 彳	총 9획	쓰는 순서 ` ` 彳 彳 彳 彳 彳 後 後

後
뒤 후

반대자 前(앞 전), 先(먼저 선)

걸어가는 두 사람 중 뒤처진 사람을 나타내요. '뒤'를 뜻해요.

後	後	後
뒤 후	뒤 후	뒤 후

2

훈·음
확인

한자어 카드의 빨간색 글자에 알맞은 한자를 찾아 선으로 이으세요.

지	하

땅의 아래.

 ・ 上 ・

 ・ 下 ・

 ・ 前 ・

 ・ 後 ・

해	상

바다의 위.

오	전

해가 뜰 때부터 낮 12시까지.

식	후

밥을 먹은 뒤.

실력 기르기

1 다음 한자의 훈(뜻)과 음(소리)을 찾아 선으로 이으세요.

(1) 上 •   • 앞 전

(2) 下 •   • 윗 상

(3) 前 •   • 뒤 후

(4) 後 •   • 아래 하

2 다음 밑줄 친 말에 해당하는 한자를 찾아 ○표 하세요.

(1) 몸의 위쪽에 입는 옷은 <u>상</u>의   → (上 , 下 , 前 , 後)

(2) 방이나 건물의 뒤에 있는 문은 <u>후</u>문   → (上 , 下 , 前 , 後)

(3) 움직여서 앞으로 나아가는 것은 <u>전</u>진   → (上 , 下 , 前 , 後)

(4) 사람의 몸이나 물체의 아랫부분은 <u>하</u>체   → (上 , 下 , 前 , 後)

3 다음 밑줄 친 말에 해당하는 한자를 보기 에서 찾아 그 번호를 쓰세요.

--- 보기 ---
① 上   ② 下   ③ 前   ④ 後

(1) 나무 그늘 <u>아래</u>에서 잠시 쉬었습니다.   → (   )

(2) 산 <u>위</u>에서 해가 뜨는 것을 보았습니다.   → (   )

(3) 아이가 엄마 <u>뒤</u>를 졸졸 따라가고 있습니다.   → (   )

4 다음 밑줄 친 한자어의 독음(읽는 소리)을 쓰세요.

(1) 오후가 되자 **下校**를 하는 아이들로 학교 앞이 붐 볐습니다.　　　　　(　　　　　)

(2) 올해는 비가 적당히 내려 **前年**보다 농사가 잘되 었습니다.　　　　　(　　　　　)

5 다음 한자의 진하게 표시한 획은 몇 번째 쓰는지 보기에서 찾아 그 번호를 쓰세요.

보기

① 첫 번째　　　　② 두 번째　　　　③ 세 번째
④ 네 번째　　　　⑤ 다섯 번째

(1) 上 (　　　　)　　(2) 後 (　　　　)

한자어 활용

6 다음 글에서 한자어의 독음(읽는 소리)을 쓰세요.

　　한복은 우리나라의 *고유한 옷이에요. 한복은 선의 흐름이 매우 아름답 고 멋스러워요. 그리고 몸에 붙지 않게 만들어졌기 때문에 바람이 잘 통 해 건강에도 좋아요. 한복에 담긴 우리 **祖上**(조 □)들의 멋과 슬기를 **後孫**(□ 손)들에게 잘 전해 주어야 해요.

*고유한: 본래부터 가지고 있어 특유한.

부수 工	총 5획	쓰는 순서 一 ナ ナ 左 左

左
왼 좌

반대자 右(오른 우)

일꾼이 왼손에 도구[工]를 든 모습을 나타내요. '왼쪽'을 뜻해요.

左	左	左
왼 좌	왼 좌	왼 좌

부수 口	총 5획	쓰는 순서 ノ ナ ナ 右 右

右
오른 우

반대자 左(왼 좌)

오른손으로 밥을 먹는 모습을 나타내요. '오른쪽'을 뜻해요.

右	右	右
오른 우	오른 우	오른 우

1 한자의 훈(뜻)과 음(소리)을 바르게 쓴 것을 모두 찾아 ○표 하세요.

모양
확인

● 한자를 따라 쓰며 익혀요.

부수 方	총 4획	쓰는 순서 ` 一 亠 方

方
모 방

소가 밭을 갈 때 끄는 쟁기의 모양을 따라 만든 글자예요. '모(모퉁이)', '네모', '방향'을 뜻해요.

方	方	方
모 방	모 방	모 방

부수 入	총 4획	쓰는 순서 丨 冂 冂 內

內
안 내

반대자 外(바깥 외)

지붕 안쪽을 받치고 있는 기둥의 모양을 나타내요. '안', '속'을 뜻해요.

內	內	內
안 내	안 내	안 내

2 그림이 나타내는 한자어에 공통으로 들어간 한자를 찾아 ○표 하세요.

훈·음
확인

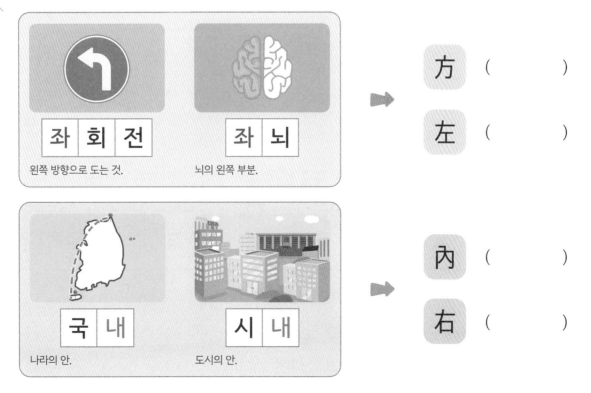

좌 회 전
왼쪽 방향으로 도는 것.

좌 뇌
뇌의 왼쪽 부분.

方 ( )
左 ( )

국 내
나라의 안.

시 내
도시의 안.

內 ( )
右 ( )

1 다음 한자의 훈(뜻)과 음(소리)을 찾아 선으로 이으세요.

(1) 左 ・

(2) 右 ・

(3) 方 ・

(4) 內 ・

・ 안 내

・ 모 방

・ 왼 좌

・ 오른 우

2 다음 밑줄 친 말에 해당하는 한자를 찾아 ○표 하세요.

(1) 어떤 곳을 향한 쪽은 방향 → (左 , 右 , 方 , 內)

(2) 왼쪽을 나타내는 말은 좌측 → (左 , 右 , 方 , 內)

(3) 방이나 건물 등의 안은 실내 → (左 , 右 , 方 , 內)

(4) 오른쪽 방향으로 도는 것은 우회전 → (左 , 右 , 方 , 內)

3 다음 밑줄 친 말에 해당하는 한자를 보기 에서 찾아 그 번호를 쓰세요.

보기

① 方　　　② 左　　　③ 右　　　④ 內

(1) 겉옷을 벗어서 옷장 안에 넣었습니다. → (　　　　)

(2) 교복 왼쪽 가슴에 이름표를 달았습니다. → (　　　　)

(3) 축구를 하다가 오른쪽 다리를 다쳤습니다. → (　　　　)

4 다음 밑줄 친 한자어의 독음(읽는 소리)을 쓰세요.

(1) 동생이 **校內** 글짓기 대회에서 상을 받았습니다. (   )

(2) 우리 마을은 **四方**이 산으로 둘러싸여 있어서 공
기가 좋습니다. (   )

5 다음 한자의 진하게 표시한 획은 몇 번째 쓰는지 **보기**에서 찾아 그 번호를 쓰세요.

보기

① 첫 번째   ② 두 번째   ③ 세 번째

④ 네 번째   ⑤ 다섯 번째

(1) 方 (   )   (2) 右 (   )

한자어 활용

6 다음 글에서 한자어의 독음(읽는 소리)을 쓰세요.

횡단보도를 안전하게 건너는 **方法**([ ] 법)을 알아볼까요? 우선 횡
단보도 앞에 서서 신호등의 초록불이 켜질 때까지 기다려요. 초록불이
켜지면 **左右**([ ][ ])를 살피며 천천히 건너요. 휴대 전화를 보면서 걸
으면 위험해요. 초록불이 깜박일 때에는 건너지 말고 다음 신호를 기다
려야 해요.

한자 익히기

부수 穴	총 8획	쓰는 순서 `丶丶宀宀穴穴空空

空
빌 공

도구로 땅을 파서 비어 있는 것을 나타
내요. '비다', '없다'를 뜻해요.

空	空	空
빌 공	빌 공	빌 공

부수 辶(辵)	총 13획	쓰는 순서 `丶丷丷丷丷丷首首首道道道

道
길 도

사람이 걸어가는 길을 나타내요. '길'이
나 '도리'를 뜻해요.

道	道	道
길 도	길 도	길 도

1 한자의 훈(뜻)과 음(소리)으로 바른 것을 따라가 선으로 이으세요.

모양
확인

● 한자를 따라 쓰며 익혀요.

다시 보기 8급 五 다섯 오 六 여섯 륙

부수 干	총 5획	쓰는 순서 一 丆 亓 亐 平		
平 평평할 평	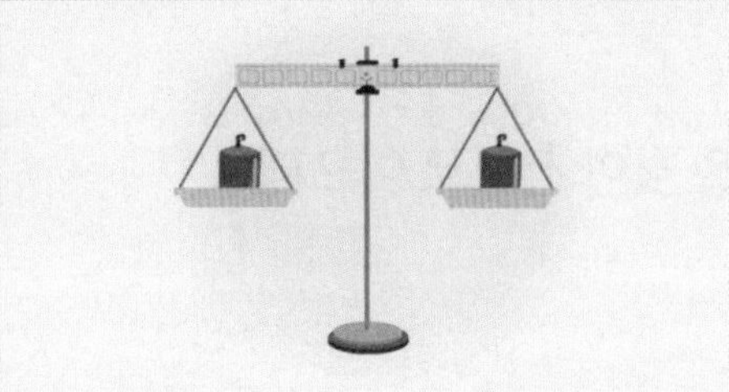 저울의 양쪽이 균형을 이룬 것을 나타내요. '평평하다', '고르다'를 뜻해요.	平 평평할 평	平 평평할 평	平 평평할 평

부수 戶	총 8획	쓰는 순서 ′ ㇒ 彐 戶 戶′ 所 所 所		
所 바 소	 나무 찍는 도끼[斤] 소리를 나타내는 글자였어요. 뜻이 변해 '바(방법)', '곳'을 뜻해요.	所 바 소	所 바 소	所 바 소

2 한자어의 빨간색 글자에 알맞은 한자를 보기에서 찾아 그 번호를 쓰세요.

훈·음 확인

보기

❶ 空 ❷ 道 ❸ 平 ❹ 所

평	면

평평한 표면.

(   )

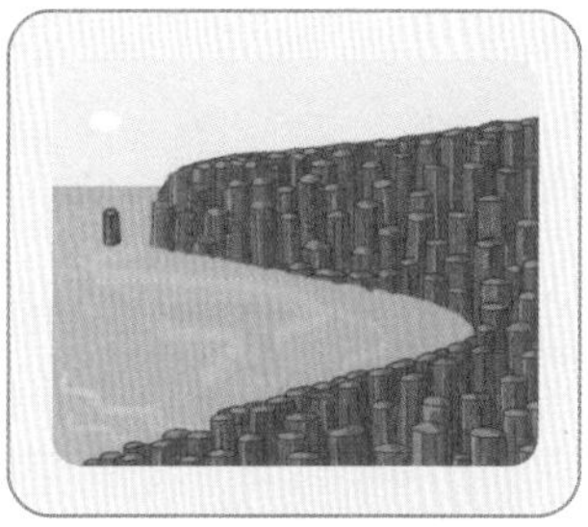

명	소

널리 알려진 곳.

(   )

공	책

빈 종이를 여러 장 묶어 놓은 책.

(   )

차	도

자동차가 다니는 길.

(   )

1 다음 한자의 훈(뜻)과 음(소리)을 찾아 선으로 이으세요.

(1) 空 ·   · 빌 공

(2) 道 ·   · 길 도

(3) 平 ·   · 바 소

(4) 所 ·   · 평평할 평

2 다음 밑줄 친 말에 해당하는 한자를 찾아 ○표 하세요.

(1) 마음에 느낀 바는 소감   → (空 , 道 , 平 , 所)

(2) 사람이 다니는 길은 인도   → (空 , 道 , 平 , 所)

(3) 아무것도 없는 빈 곳은 공간   → (空 , 道 , 平 , 所)

(4) 땅의 겉면이 평평하고 넓은 들은 평야 → (空 , 道 , 平 , 所)

3 다음 밑줄 친 말에 해당하는 한자를 보기에서 찾아 그 번호를 쓰세요.

보기

① 道   ② 空   ③ 所   ④ 平

(1) 이삿짐을 모두 빼자 집이 텅 비었습니다.   → (   )

(2) 평평한 바위에 누워 하늘을 바라보았습니다.   → (   )

(3) 우연히 길에서 유치원 때 친구를 만났습니다.   → (   )

4 다음 밑줄 친 한자어의 독음(읽는 소리)을 쓰세요.

(1) 할머니께서는 **平生**에 걸쳐 모은 돈을 사회에 기부하셨습니다.   (   )

(2) 돌고래 한 마리가 나타나 **空中**으로 솟아올랐다가 사라졌습니다.   (   )

5 다음 한자의 진하게 표시한 획은 몇 번째 쓰는지 보기에서 찾아 그 번호를 쓰세요.

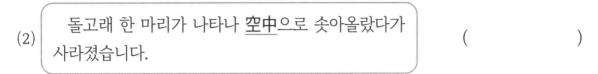

보기

① 두 번째   ② 세 번째   ③ 네 번째

④ 다섯 번째   ⑤ 여섯 번째

(1) 所 (   )   (2) 平 (   )

한자어 활용

6 다음 글에서 한자어의 독음(읽는 소리)을 쓰세요.

같이 자는 사람이 코를 심하게 골면 잠을 자기 힘들어요. 아무리 귀를 막아도 **所用**(☐ 용)이 없지요. 왜 코를 고는 걸까요? **氣道**(기 ☐)는 우리가 호흡할 때 **空氣**(☐ 기)가 지나가는 길이에요. 누워서 잘 때 입천장 뒷부분의 근육이 느슨해지면 기도가 좁아지는데, 그때 지나가는 공기가 울려서 소리가 나는 거예요.

4일

위치와 공간

정리하기

주제별
한자를 그림과
함께 복습해요.

○ 다음 그림을 보고, 빈칸에 알맞은 한자를 보기에서 찾아 쓰세요.

보기

| 上 | 下 | 前 | 後 | 左 | 右 | 方 | 內 | 空 | 道 | 平 | 所 |

❶ 자동차 위[ ]에 짐을 실었어요.

❷ 나무 그늘 아래[ ]는 시원해요.

❸ 집 안[ ]은 텅 비어[ ] 있어요.

❹ 상자의 한쪽 모[ ]가 찌그러져 있어요.

❺ 평평한[ ] 길[ ]에 자동차가 서 있어요.

❻ 아버지는 타이어가 터져 어찌할 바[ ]를 몰랐어요.

❼ 배의 앞[ ]쪽은 노란색이고, 뒤[ ]쪽은 파란색이에요.

❽ 도로 왼쪽[ ]에는 꽃이 피어 있고, 오른쪽[ ]에는 숲이 있어요.

[1~5] 다음 밑줄 친 漢字語(한자어)의 音(음: 소리)을 쓰세요.

보기

漢字 → 한자

1 後年에는 동생도 초등학생이 됩니다. ( )

2 등산객들은 해가 지자 서둘러 下山했습니다. ( )

3 平日에는 도서관을 이용하는 사람이 적습니다. ( )

4 비가 많이 내려 몇 미터 前方도 보기가 힘듭니다. ( )

5 북극 지방의 上空에는 오로라가 나타나기도 합니다. ( )

[6~15] 다음 漢字(한자)의 訓(훈: 뜻)과 音(음: 소리)을 쓰세요.

보기

字 → 글자 자

6 左 ( )　　7 方 ( )

8 道 ( )　　9 內 ( )

10 所 ( )　　11 下 ( )

12 後 ( )　　13 空 ( )

14 平 ( )　　15 前 ( )

[16~22] 다음 밑줄 친 漢字語(한자어)를 보기에서 찾아 그 번호를 쓰세요.

보기

① 下人	② 門前	③ 後門	④ 室內
⑤ 空中	⑥ 人道	⑦ 平年	⑧ 下水

16 오토바이는 <u>인도</u>로 다니면 안 됩니다.　　　　　　　(　　　　　)

17 <u>후문</u>은 아침 등교 시간에만 열립니다.　　　　　　　(　　　　　)

18 새들이 <u>공중</u>을 자유롭게 날아다닙니다.　　　　　　　(　　　　　)

19 옛날 양반들은 <u>하인</u>을 부리며 살았습니다.　　　　　　(　　　　　)

20 올여름 기온은 <u>평년</u>과 비슷할 것으로 예상됩니다.　　　(　　　　　)

21 선수는 골을 넣기 위해 <u>문전</u>을 향해 달려갔습니다.　　　(　　　　　)

22 <u>실내</u> 온도가 너무 낮아지지 않도록 조절해야 합니다.　　(　　　　　)

[23~30] 다음 訓(훈: 뜻)과 音(음: 소리)에 맞는 漢字(한자)를 보기에서 찾아 그 번호를 쓰세요.

보기

① 左	② 右	③ 方	④ 上	⑤ 平
⑥ 前	⑦ 所	⑧ 內	⑨ 道	⑩ 下

23 모 방　(　　　　)　　　　**24** 앞 전　(　　　　)

25 안 내　(　　　　)　　　　**26** 길 도　(　　　　)

27 윗 상　(　　　　)　　　　**28** 바 소　(　　　　)

29 오른 우　(　　　　)　　　　**30** 평평할 평　(　　　　)

[31~32] 다음 漢字(한자)의 상대 또는 반대되는 漢字(한자)를 보기 에서 찾아 그 번호를 쓰세요.

> **보기**
>
> ① 前　　　　　② 下　　　　　③ 右

31 上 ↔ (　　　　　　)　　　　　32 後 ↔ (　　　　　　)

[33~36] 다음 뜻에 맞는 漢字語(한자어)를 보기 에서 찾아 그 번호를 쓰세요.

> **보기**
>
> ① 左右　　　② 四方　　　③ 空白　　　④ 國內

33 나라의 안. (　　　　　　)

34 왼쪽과 오른쪽. (　　　　　　)

35 동, 서, 남, 북의 네 가지 방향. (　　　　　　)

36 아무것도 없이 비어 있는 부분. (　　　　　　)

[37~40] 다음 漢字(한자)의 진하게 표시한 획은 몇 번째 쓰는지 보기 에서 찾아 그 번호를 쓰세요.

> **보기**
>
> ① 첫 번째　② 두 번째　③ 세 번째　④ 네 번째　⑤ 다섯 번째

37 下 (　　　　　　)　　　38 左 (　　　　　　)

39 內 (　　　　　　)　　　40 空 (　　　　　　)

한자 익히기

부수 手	총 4획	쓰는 순서 ノ 二 三 手

手
손 수
반대자 足(발 족)

사람의 다섯 손가락을 편 손 모양을 따라 만든 글자예요. '손', '재주'를 뜻해요.

手	手	手
손 수	손 수	손 수

부수 足	총 7획	쓰는 순서 ノ ㅁ ㅁ 무 무 무 足

足
발 족
반대자 手(손 수)

사람의 무릎부터 발까지의 모양을 따라 만든 글자예요. '발'을 뜻해요.

足	足	足
발 족	발 족	발 족

1 한자의 훈(뜻)과 음(소리)을 바르게 쓴 것을 모두 찾아 ○표 하세요.

모양
확인

手 입 구

足 발 족

口 손 수

面 낯 면

● 한자를 따라 쓰며 익혀요.

부수 口	총 3획	쓰는 순서 丨 冂 口

口
입 구

사람이 입을 크게 벌린 모양을 따라 만든 글자예요. '입'이나 '입구', '인구'를 뜻해요.

口 입구 / 口 입구 / 口 입구

부수 面	총 9획	쓰는 순서 一 丆 丆 而 而 而 面 面

面
낯 면

사람의 얼굴 모양을 나타내는 글자예요. '낯(얼굴)'을 뜻해요.

面 낯면 / 面 낯면 / 面 낯면

2 한자어 카드의 빨간색 글자에 알맞은 한자를 찾아 선으로 이으세요.

훈·음
확인

수	족

손과 발.

가	면

얼굴을 감추거나 꾸미려 쓰는 물건.

식	구

함께 살면서 끼니를 같이하는 사람.

手   足   口   面

실력 기르기

1 다음 한자의 훈(뜻)과 음(소리)을 찾아 선으로 이으세요.

(1) 手 •

(2) 足 •

(3) 口 •

(4) 面 •

• 입 구

• 낯 면

• 손 수

• 발 족

2 다음 밑줄 친 말에 해당하는 한자를 찾아 ○표 하세요.

(1) 손의 힘만으로 움직이는 것은 <u>수</u>동 → (手 , 足 , 口 , 面)

(2) 얼굴을 대하고 직접 만나는 것은 <u>면</u>접 → (手 , 足 , 口 , 面)

(3) 입에서 나오는 말로 전하여 내려오는 것은 <u>구</u>전 → (手 , 足 , 口 , 面)

(4) 발로 공을 차서 네트를 넘겨 승부를 겨루는 경기는 <u>족</u>구 → (手 , 足 , 口 , 面)

3 다음 밑줄 친 말에 해당하는 한자를 보기에서 찾아 그 번호를 쓰세요.

보기

① 面   ② 足   ③ 手   ④ 口

(1) 언니는 나보다 <u>발</u>이 작습니다. → (   )

(2) <u>입</u>을 크게 벌리고 하품을 했습니다. → (   )

(3) 집에 돌아오면 <u>손</u>을 깨끗이 씻어야 합니다. → (   )

4 다음 밑줄 친 한자어의 독음(읽는 소리)을 쓰세요.

(1) 작은 조약돌 하나를 주워 잔잔한 <u>水面</u> 위로 던졌습니다.   (   )

(2) 도시로 이동하는 사람들이 많아 농촌의 <u>人口</u>가 줄어들었습니다.   (   )

5 다음 한자의 진하게 표시한 획은 몇 번째 쓰는지 보기에서 찾아 그 번호를 쓰세요.

보기

① 네 번째   ② 다섯 번째   ③ 여섯 번째

④ 일곱 번째   ⑤ 여덟 번째

(1) 面 (   )   (2) 足 (   )

한자어 활용

6 다음 글에서 한자어의 독음(읽는 소리)을 쓰세요.

인도에서는 오른손으로 **握手**(악 [ ])를 하는 것이 예의예요. 왼손으로 악수를 하면 예의가 **不足**(부 [ ])하다고 생각할 수 있어요. 왼손은 화장실에서 사용하던 손이기 때문이에요. 그래서 인도 사람들은 식사를 할 때에도 오른손만을 사용한다고 해요.

6일

사람 ②

한자 익히기

부수 气	총 10획	쓰는 순서 ′ ′ ′ 气 气 气 气 氣 氣 氣

氣 기운 기	밥을 지을 때 수증기가 올라가는 모습을 나타내요. '기운', '기세'를 뜻해요.	氣 기운 기	氣 기운 기	氣 기운 기

부수 力	총 2획	쓰는 순서 フ 力

力 힘 력(역)	밭을 가는 농기구의 모양을 따라 만든 글자예요. '힘', '힘쓰다'를 뜻해요.	力 힘 력(역)	力 힘 력(역)	力 힘 력(역)

1 과녁에 쓰인 한자의 훈(뜻)과 음(소리)을 찾아 선으로 이으세요.

모양
확인

氣　力　心　命

힘 력(역)　목숨 명　기운 기　마음 심

하루 한장 급수 한자 7급

● 한자를 따라 쓰며 익혀요.

부수 心	총 4획	쓰는 순서 ' 心 心 心

心
마음 심

사람의 심장 모양을 따라 만든 글자예요. '마음', '생각', '심장'을 뜻해요.

心	心	心
마음 심	마음 심	마음 심

부수 口	총 8획	쓰는 순서 ノ 人 ム 수 合 合 命 命

命
목숨 명

임금의 입에 백성의 목숨이 달려 있음을 나타내요. '목숨', '명령'을 뜻해요.

命	命	命
목숨 명	목숨 명	목숨 명

2 한자어 카드의 빨간색 글자에 알맞은 한자를 ( )에서 찾아 ○표 하세요.

훈·음
확인

역도
무거운 역기를 들어 올려 무게를 겨루는 경기.

(氣 , 力 , 心 , 命)

수명
사람이나 동식물이 살아 있는 기간.

(氣 , 力 , 心 , 命)

향기
꽃, 향, 향수 등에서 나는 좋은 냄새.

(氣 , 力 , 心 , 命)

호기심
새롭고 신기한 것을 좋아하거나 모르는 것을 알고 싶어 하는 마음.

(氣 , 力 , 心 , 命)

실력 기르기

1 다음 한자의 훈(뜻)과 음(소리)을 찾아 선으로 이으세요.

(1) 氣 •   • 기운 기

(2) 力 •   • 목숨 명

(3) 心 •   • 마음 심

(4) 命 •   • 힘 력(역)

2 다음 밑줄 친 말에 해당하는 한자를 찾아 ○표 하세요.

(1) 사람의 목숨은 인명   → (氣 , 力 , 心 , 命)

(2) 겁이 없고 씩씩한 기운은 용기   → (氣 , 力 , 心 , 命)

(3) 어떤 일을 할 수 있는 힘은 능력   → (氣 , 力 , 心 , 命)

(4) 어떻게 하기로 굳게 정한 마음은 결심   → (氣 , 力 , 心 , 命)

3 다음 밑줄 친 말에 해당하는 한자를 보기 에서 찾아 그 번호를 쓰세요.

보기

① 氣   ② 力   ③ 命   ④ 心

(1) 장군은 전투에서 목숨을 걸고 싸웠습니다.   → (   )

(2) 어머니께서는 아이처럼 마음이 순수하십니다.   → (   )

(3) 나는 팔 힘이 세서 팔씨름을 하면 항상 이깁니다.   → (   )

4 다음 밑줄 친 한자어의 독음(읽는 소리)을 쓰세요.

(1)
> 생일은 한 **生命**이 태어난 것을 기념하고 축하하는 날입니다.

(   )

(2)
> **日氣** 예보에 따르면 오늘은 하루 종일 눈이 내린다고 합니다.

(   )

5 다음 한자의 진하게 표시한 획은 몇 번째 쓰는지 보기에서 찾아 그 번호를 쓰세요.

┌─────────────── 보기 ───────────────┐
① 첫 번째   ② 두 번째   ③ 다섯 번째

④ 여섯 번째   ⑤ 일곱 번째
└────────────────────────────────────┘

(1) 氣 (   )   (2) 力 (   )

[한자어 활용]

6 다음 글에서 한자어의 독음(읽는 소리)을 쓰세요.

> 공을 들고 있다가 놓으면 공은 지구 **中心**(□□) 방향을 향해 아래로 떨어져요. 지구와 공 사이에 힘이 작용하기 때문이에요. 이렇게 지구 위의 물체가 지구로부터 받는 힘을 **重力**(중 □)이라고 해요. 중력은 평소에 잘 느껴지지 않지만, 지구 중심으로 우리를 항상 끌어당기고 있어요.

한자 익히기

부수 工	총 3획	쓰는 순서 一 丅 工

工 장인 공	땅을 다질 때 사용한 도구의 모양을 따라 만든 글자예요. '장인', '일'을 뜻해요.	工 장인 공	工 장인 공	工 장인 공

부수 田	총 7획	쓰는 순서 丶 冂 口 田 田 男 男

男 사내 남 반대자 女(여자 녀)	힘[力]을 써서 밭[田]을 가는 사람을 나타내요. '사내', '남자'를 뜻해요.	男 사내 남	男 사내 남	男 사내 남

1 사다리를 타고 내려가 한자의 훈(뜻)과 음(소리)이 바른 것을 모두 찾아 ○표 하세요.

모양 확인

工   男   世   老

늙을 로(노)   사내 남   장인 공   인간 세

부수 ─	총 5획	쓰는 순서 　一　十　卅　卅　世

世
인간 세

잎이 나고 지는 것이 인간 세계와 같음을 나타내요. '인간', '일생', '세대'를 뜻해요.

世	世	世
인간 세	인간 세	인간 세

부수 老	총 6획	쓰는 순서 　一　十　土　耂　耂　老

老
늙을 로(노)

지팡이를 짚고 있는 노인의 모습을 따라 만든 글자예요. '늙다'를 뜻해요.

老	老	老
늙을 로(노)	늙을 로(노)	늙을 로(노)

2 그림이 나타내는 한자어를 찾아 V표 하세요.

훈·음
확인

☐ 老약자
늙거나 약한 사람.

- - - - - - - - - - - - - - - - - -

☐ 世자
임금의 자리를 이을 임금의 아들.

☐ 老소
늙은이와 젊은이.

- - - - - - - - - - - - - - - - - -

☐ 출世
높은 지위에 오르거나 유명하게 됨.

(주) 발편한 신발

☐ 工장
기계로 물건을 만드는 곳.

- - - - - - - - - - - - - - - - - -

☐ 男녀
남자와 여자.

☐ 工사
땅을 파거나 집을 짓는 일.

- - - - - - - - - - - - - - - - - -

☐ 男편
부부 중의 남자.

7일　31

실력 기르기

1 다음 한자의 훈(뜻)과 음(소리)을 찾아 선으로 이으세요.

(1) 工 ·   · 사내 남

(2) 男 ·   · 인간 세

(3) 世 ·   · 장인 공

(4) 老 ·   · 늙을 로(노)

2 다음 밑줄 친 말에 해당하는 한자를 찾아 ○표 하세요.

(1) 늙은 사람을 공경하는 것은 경로 → (工 , 男 , 世 , 老)

(2) 사람이 살고 있는 모든 사회는 세상 → (工 , 男 , 世 , 老)

(3) 한 부모가 낳은 남자와 여자 형제는 남매 → (工 , 男 , 世 , 老)

(4) 나무로 가구 등의 물건을 만드는 사람은 목공 → (工 , 男 , 世 , 老)

3 다음 밑줄 친 말에 해당하는 한자를 보기에서 찾아 그 번호를 쓰세요.

보기

① 男   ② 世   ③ 老   ④ 工

(1) 늙은 어부는 평생 고기잡이를 해 왔습니다. → (   )

(2) 사내아이들이 모여 팽이치기를 하고 있습니다. → (   )

(3) 장인은 능숙한 솜씨로 나무를 깎기 시작했습니다. → (   )

4 다음 밑줄 친 한자어의 독음(읽는 소리)을 쓰세요.

(1) 아버지는 삼 형제 중 **長男**이십니다.　　　　(　　　　)

(2) 텔레비전 뉴스에 병든 **老父母**를 극진히 돌보는 효자 이야기가 소개되었습니다.　　　　(　　　　)

5 다음 한자의 진하게 표시한 획은 몇 번째 쓰는지 보기 에서 찾아 그 번호를 쓰세요.

─ 보기 ─
① 두 번째　　　② 세 번째　　　③ 네 번째
④ 다섯 번째　　⑤ 여섯 번째

(1) 世 (　　　　)　　(2) 老 (　　　　)

한자어 활용
6 다음 글에서 한자어의 독음(읽는 소리)을 쓰세요.

1992년 8월 11일, 우리나라 최초의 인공위성 '우리별 1호'가 발사되었어요. 이로써 우리나라는 **世界**(　　　계)에서 스물두 번째로 **人工衛星**(　　　　위 　성)을 가진 나라가 되었어요. 우리별 1호는 2004년에 지구와 *교신이 끊겼지만 지금도 *궤도를 돌고 있어요.

＊교신: 우편이나 전화 등을 이용해 정보나 의견을 주고받음.
＊궤도: 행성, 혜성, 인공위성 등이 다른 별의 둘레를 도는 정해진 길.

8일

사람 ①~③

정리하기

주제별 한자를 그림과 함께 복습해요.

o 다음 그림을 보고, 빈칸에 알맞은 한자를 보기에서 찾아 쓰세요.

보기

手　足　口　面　氣　力　心　命　工　男　世　老

❶ 인간[　]은 서로 어울려 살아요.

❷ 남자아이가 손[　]으로 개를 쓰다듬어요.

❸ 장인[　]이 만든 구두가 발[　]에 잘 맞아요.

❹ 사내[　]가 늙은[　] 아버지를 부축하고 있어요.

❺ 개는 목숨[　]이 다한 듯 기운[　]이 없어 보여요.

❻ 힘[　]이 센 아저씨는 무거운 물건도 번쩍번쩍 들어요.

❼ 엄마 품에 안긴 아기가 입[　]을 크게 벌리며 하품을 해요.

❽ 넘어진 여자아이는 부끄러운 마음[　]이 들어 낯[　]이 붉어졌어요.

[1~5] 다음 밑줄 친 漢字語(한자어)의 音(음: 소리)을 쓰세요.

보기

漢字 → 한자

1 화살이 과녁의 한가운데에 **命中**하였습니다.　　　　　　(　　　　　　)

2 요즈음에는 **男女**의 구별이 없는 옷이 많습니다.　　　　(　　　　　　)

3 **木手**가 책상을 만들기 위해 나무를 잘랐습니다.　　　　(　　　　　　)

4 현재 우리나라의 **人口**는 오천만 명이 넘습니다.　　　　(　　　　　　)

5 서울에서 춘천 **方面**으로 가는 길에 사고가 났습니다.　(　　　　　　)

[6~15] 다음 漢字(한자)의 訓(훈: 뜻)과 音(음: 소리)을 쓰세요.

보기

字 → 글자 자

6 足 (　　　　　　)　　　　　7 老 (　　　　　　)

8 力 (　　　　　　)　　　　　9 工 (　　　　　　)

10 手 (　　　　　　)　　　　11 世 (　　　　　　)

12 面 (　　　　　　)　　　　13 氣 (　　　　　　)

14 口 (　　　　　　)　　　　15 心 (　　　　　　)

[16~22] 다음 밑줄 친 漢字語(한자어)를 **보기**에서 찾아 그 번호를 쓰세요.

보기

① 日氣	② 人工	③ 世上	④ 內面
⑤ 平面	⑥ 老年	⑦ 生命	⑧ 中心

16 우리가 사는 세상은 다양하고 복잡합니다.　　　　　　　（　　　　　）

17 수학 시간에 평면 도형에 대해 배웠습니다.　　　　　　　（　　　　　）

18 우리 동네에는 인공으로 만든 호수가 있습니다.　　　　　（　　　　　）

19 글을 읽고 중심 내용이 무엇인지 살펴보았습니다.　　　　（　　　　　）

20 소방대원들이 불길 속에서 많은 생명을 구했습니다.　　　（　　　　　）

21 할아버지께서는 노년을 고향에서 보내기로 하셨습니다.　（　　　　　）

22 일기가 불안정해서 비행기가 이륙하지 못하고 있습니다.　（　　　　　）

[23~30] 다음 訓(훈: 뜻)과 音(음: 소리)에 맞는 漢字(한자)를 **보기**에서 찾아 그 번호를 쓰세요.

보기

① 手	② 心	③ 氣	④ 男	⑤ 足
⑥ 工	⑦ 面	⑧ 命	⑨ 口	⑩ 世

23 낯 면　（　　　　　）　　　　**24** 손 수　（　　　　　）

25 사내 남　（　　　　　）　　**26** 인간 세　（　　　　　）

27 마음 심　（　　　　　）　　**28** 장인 공　（　　　　　）

29 기운 기　（　　　　　）　　**30** 목숨 명　（　　　　　）

[31~32] 다음 漢字(한자)의 상대 또는 반대되는 漢字(한자)를 보기 에서 찾아 그 번호를 쓰세요.

보기

① 人   ② 手   ③ 女

31 足 ↔ (   )   32 男 ↔ (   )

[33~36] 다음 뜻에 맞는 漢字語(한자어)를 보기 에서 찾아 그 번호를 쓰세요.

보기

① 木工   ② 國力   ③ 手中   ④ 老母

33 손의 안. (   )

34 늙은 어머니. (   )

35 나무로 가구 등의 물건을 만드는 사람. (   )

36 한 나라가 모든 분야에 걸쳐 가지고 있는 힘. (   )

[37~40] 다음 漢字(한자)의 진하게 표시한 획은 몇 번째 쓰는지 보기 에서 찾아 그 번호를 쓰세요.

보기

① 두 번째   ② 세 번째   ③ 네 번째   ④ 다섯 번째   ⑤ 여섯 번째

37 命 (   )   38 男 (   )

39 手 (   )   40 工 (   )

한자 익히기

부수 子	총 3획	쓰는 순서 一 了 子

		子	子	子
子 아들 자 반대자 父(아비 부), 母(어미 모)	어린아이가 두 팔을 벌리고 있는 모양을 따라 만든 글자예요. '아들', '자식'을 뜻해요.	아들 자	아들 자	아들 자

부수 子	총 7획	쓰는 순서 一 十 土 耂 耂 孝 孝

		孝	孝	孝
孝 효도 효	자식[子]이 늙은[耂] 부모를 업은 모습을 나타내요. '효도'를 뜻해요.	효도 효	효도 효	효도 효

1 '주인 주' 자가 쓰인 촛불을 모두 찾아 색칠하세요.

모양
확인

子 孝 主
祖 主 祖

● 한자를 따라 쓰며 익혀요.

부수 示	총 10획	쓰는 순서 一 二 亍 亓 亓 利 利 初 袒 祖

祖 할아비 조

제사상을 차려 모시는 대상을 나타내요. '할아버지', '조상'을 뜻해요.

祖 할아비 조 / 祖 할아비 조 / 祖 할아비 조

부수 丶	총 5획	쓰는 순서 丶 亠 二 宁 主

主 임금 / 주인 주

촛대의 모양을 따라 만든 글자예요. '주인'이나 '임금'을 뜻해요.

主 임금 / 주인 주 / 主 임금 / 주인 주 / 主 임금 / 주인 주

2 한자와 관련 있는 한자어 카드를 찾아 그 번호를 쓰세요.

훈·음 확인

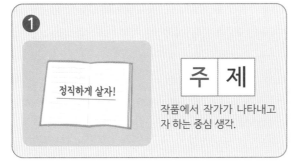
① 주 제
작품에서 작가가 나타내고자 하는 중심 생각.

② 자 손
자식과 손자.

③ 선 조
먼 윗대의 조상.

④ 효 성
부모를 잘 모시어 받드는 정성.

(1) 子: (　　　) (2) 孝: (　　　) (3) 祖: (　　　) (4) 主: (　　　)

1 다음 한자의 훈(뜻)과 음(소리)을 찾아 선으로 이으세요.

(1) 子 •

(2) 孝 •

(3) 祖 •

(4) 主 •

• 효도 효

• 아들 자

• 할아비 조

• 임금 / 주인 주

2 다음 밑줄 친 말에 해당하는 한자를 찾아 ○표 하세요.

(1) 아들과 딸은 <u>자</u>녀 → (子 , 孝 , 祖 , 主)

(2) 할아버지와 할머니는 <u>조</u>부모 → (子 , 孝 , 祖 , 主)

(3) 부모를 정성껏 잘 모시는 일은 <u>효</u>도 → (子 , 孝 , 祖 , 主)

(4) 연극, 영화 등에서 중심이 되는 인물은 <u>주</u>인공 → (子 , 孝 , 祖 , 主)

3 다음 밑줄 친 말에 해당하는 한자를 보기에서 찾아 그 번호를 쓰세요.

보기

① 祖   ② 主   ③ 子   ④ 孝

(1) 이모의 둘째 <u>아들</u>은 올해 세 살이 되었습니다. → (   )

(2) 가게 <u>주</u>인은 밝은 미소로 손님들을 맞았습니다. → (   )

(3) 우리는 옛날부터 <u>효</u>도를 중요하게 생각했습니다. → (   )

4 다음 밑줄 친 한자어의 독음(읽는 소리)을 쓰세요.

(1) 우리 <u>父子</u>는 닮았다는 말을 자주 듣습니다. ( )

(2) 독립운동가들은 <u>祖國</u>을 지키기 위해 목숨을 바치기도 했습니다. ( )

5 다음 한자의 진하게 표시한 획은 몇 번째 쓰는지 보기에서 찾아 그 번호를 쓰세요.

보기

① 두 번째 　　② 세 번째 　　③ 네 번째

④ 다섯 번째 　　⑤ 여섯 번째

(1) 祖 ( ) 　　(2) 主 ( )

한자어 활용
6 다음 글에서 한자어의 독음(읽는 소리)을 쓰세요.

『심청전』은 조선 시대에 쓰인 한글 소설로, 작가가 누구인지는 알려져 있지 않아요. **孝女**(　　) 심청이 앞을 못 보는 아버지의 눈을 뜨게 하기 위해 *인당수에 뛰어들었다가 용왕의 도움으로 살아나 왕비의 자리까지 오르게 된다는 것이 **主要**(　　요) 내용이에요.

* 인당수: 사람을 제물로 바쳐야 배가 무사히 지나갈 수 있다는 곳.

부수 女	총 8획	쓰는 순서 ㄴ ㄴ ㄴ 女 女 妒 姓 姓			
姓 성 성		姓	姓 성 성	姓 성 성	姓 성 성
		여자[女]에게서 태어났다[生]는 것을 나타내요. 사람의 '성(성씨)'를 뜻해요.			

부수 口	총 6획	쓰는 순서 ㄱ ㄱ ㄗ ㄗ 名 名			
名 이름 명		名	名 이름 명	名 이름 명	名 이름 명
		어두운 저녁[夕]에 이름을 불러[口] 누구인지 확인하던 것을 나타내요. 사람의 '이름'을 뜻해요.			

1 한자의 훈(뜻)과 음(소리)을 바르게 쓴 것을 모두 찾아 ○표 하세요.

모양
확인

다시 보기 8급 父 아비 부 母 어미 모

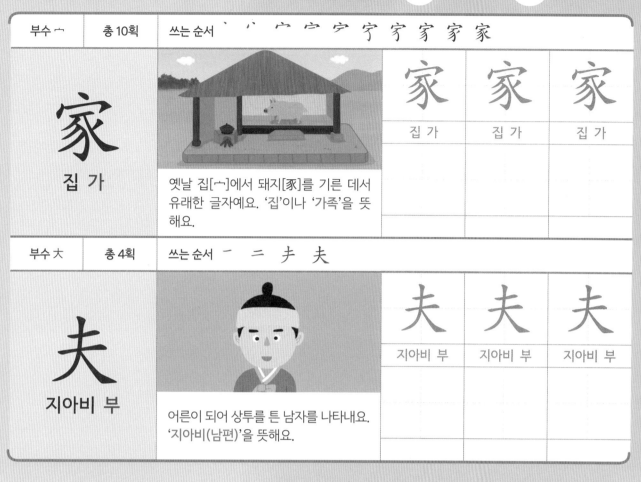

부수 宀	총 10획	쓰는 순서 ᐟ ᐟ 宀 宀 宀 宀 家 家 家

家
집 가

옛날 집[宀]에서 돼지[豕]를 기른 데서 유래한 글자예요. '집'이나 '가족'을 뜻해요.

家	家	家
집 가	집 가	집 가

부수 大	총 4획	쓰는 순서 一 二 丰 夫

夫
지아비 부

어른이 되어 상투를 튼 남자를 나타내요. '지아비(남편)'을 뜻해요.

夫	夫	夫
지아비 부	지아비 부	지아비 부

2

훈·음
확인

그림이 나타내는 한자어의 뜻을 보고, 빈칸에 들어갈 한자를 찾아 선으로 이으세요.

☐ 축

집에서 기르는 짐승.

☐ 칭

사람이나 사물 등의 이름.

어 ☐

물고기를 잡는 일을 하는 사람.

성(姓)   명(名)   가(家)   부(夫)

실력 기르기

1 다음 한자의 훈(뜻)과 음(소리)을 찾아 선으로 이으세요.

(1) 姓 •   • 집 가

(2) 名 •   • 성 성

(3) 家 •   • 이름 명

(4) 夫 •   • 지아비 부

2 다음 밑줄 친 말에 해당하는 한자를 찾아 〇표 하세요.

(1) 남편과 아내는 <u>부부</u>   → (姓 , 名 , 家 , 夫)

(2) 이름이 널리 알려져 있는 것은 유<u>명</u>   → (姓 , 名 , 家 , 夫)

(3) 사람 이름의 성을 높이는 말은 <u>성</u>씨   → (姓 , 名 , 家 , 夫)

(4) 주로 한집에 모여 사는 부모와 그 자식들은 <u>가</u>족   → (姓 , 名 , 家 , 夫)

3 다음 밑줄 친 말에 해당하는 한자를 보기에서 찾아 그 번호를 쓰세요.

보기

① 家   ② 姓   ③ 夫   ④ 名

(1) 답안지에 <u>이름</u>을 꼭 적어야 합니다.   → (   )

(2) 우리 <u>집</u>은 학교에서 가까운 곳에 있습니다.   → (   )

(3) 전쟁에 나갔던 <u>남편</u>이 무사히 돌아왔습니다.   → (   )

4 다음 밑줄 친 한자어의 독음(읽는 소리)을 쓰세요.

(1) 이번 모임에는 <u>夫人</u>과 함께 오시기 바랍니다. (   )

(2) 우리 가족은 주말마다 관광 <u>名所</u>를 찾아다닙니다. (   )

5 다음 한자의 진하게 표시한 획은 몇 번째 쓰는지 [보기]에서 찾아 그 번호를 쓰세요.

━━━━━ 보기 ━━━━━
① 첫 번째   ② 두 번째   ③ 세 번째
④ 네 번째   ⑤ 다섯 번째

(1) 姓 (   )   (2) 名 (   )

한자어 활용

6 다음 글에서 한자어의 독음(읽는 소리)을 쓰세요.

　　책에서 읽은 글이 마음에 든다고 해서 作家(작 [   ])의 허락을 받지 않고 다른 곳에 그 글을 흉내 내어 쓰면 안 돼요. 글이나 음악, 미술 등의 예술 작품을 만든 사람은 저작권을 가지고 있기 때문이에요. 다른 사람이 쓴 글은 미리 허락을 받은 다음 사용해야 하고, 글쓴이의 姓名([   ][   ]), 책 제목, 출판사 등의 *출처를 반드시 밝혀야 해요.

* 출처: 사물이나 말 등이 생기거나 나온 근거.

한자 익히기

부수 宀	총 6획	쓰는 순서 ﹅ ﹅ 宀 宀 安 安

安
편안 안

집[宀] 안에 여자[女]가 편안하게 앉아 있는 모습을 나타내요. '편안'을 뜻해요.

安	安	安
편안 안	편안 안	편안 안

부수 土	총 12획	쓰는 순서 一 十 土 圹 圹 圹 圻 埸 埸 場 場 場

場
마당 장

평평한 땅[土]에 햇볕[昜]이 내리쬐는 모습을 나타내요. '마당'을 뜻해요.

場	場	場
마당 장	마당 장	마당 장

1 한자의 훈(뜻)과 음(소리)을 바르게 쓴 것을 모두 찾아 ○표 하세요.

모양
확인

住 살 주
場 살 활

場 마당 장
活 살 활

安 편안 안
活 마당 장

● 한자를 따라 쓰며 익혀요.

부수 氵(水)	총 9획	쓰는 순서 `丶丶氵氵氵氵汗汗活活

活
살 활

물이 힘차게 흐르는 것을 나타내요. 사람이나 생물이 '살다'를 뜻해요.

活	活	活
살 활	살 활	살 활

부수 亻(人)	총 7획	쓰는 순서 丿亻亻亻仁仨住

住
살 주

사람[亻]이 한곳에 머물러 사는 것을 나타내요. '살다', '거주하다'를 뜻해요.

住	住	住
살 주	살 주	살 주

2 한자어의 빨간색 글자에 알맞은 한자를 보기 에서 찾아 그 번호를 쓰세요.

훈·음 확인

보기

❶ 安   ❷ 場   ❸ 活   ❹ 住

광 장

도시 가운데에 많은 사람들이 모일 수 있게 만든 넓은 곳.

(   )

주 택

사람이 살 수 있도록 만든 건물.

(   )

안 부

잘 지내는지에 대한 소식.

(   )

활 동

몸을 움직여 행동함.

(   )

1 다음 한자의 훈(뜻)과 음(소리)을 찾아 선으로 이으세요.

(1) 安 ・　　　　　　　　　・ 살 주

(2) 場 ・　　　　　　　　　・ 살 활

(3) 活 ・　　　　　　　　　・ 편안 안

(4) 住 ・　　　　　　　　　・ 마당 장

2 다음 밑줄 친 말에 해당하는 한자를 찾아 ○표 하세요.

(1) 어떤 일이 일어나는 곳은 장소 → (安 , 場 , 活 , 住)

(2) 어떤 지역 안에 살고 있는 사람은 주민 → (安 , 場 , 活 , 住)

(3) 위험이 생기거나 사고가 날 염려가 없는 상태는 안전 → (安 , 場 , 活 , 住)

(4) 사람이나 동물이 일정한 환경에서 살아가는 것은 생활 → (安 , 場 , 活 , 住)

3 다음 밑줄 친 말에 해당하는 한자를 보기에서 찾아 그 번호를 쓰세요.

보기

① 安　　　　　② 場　　　　　③ 住

(1) 마당에 나무 한 그루를 심었습니다. → (　　　)

(2) 바닥에 이불을 깔고 편안한 자세로 누웠습니다. → (　　　)

(3) 우리 가족은 삼 년 동안 제주도에서 살았습니다. → (　　　)

4 다음 밑줄 친 한자어의 독음(읽는 소리)을 쓰세요.

(1)
> 봉투에 편지를 보낸 사람의 <u>住所</u>가 적혀 있었습니다.

(   )

(2)
> 선생님께서 걱정하지 말라고 말씀하셨지만 <u>安心</u>이 되지 않았습니다.

(   )

5 다음 한자의 진하게 표시한 획은 몇 번째 쓰는지 보기에서 찾아 그 번호를 쓰세요.

보기

① 다섯 번째   ② 여섯 번째   ③ 일곱 번째

④ 여덟 번째   ⑤ 아홉 번째

(1) 活 (   )   (2) 場 (   )

한자어 활용

6 다음 글에서 한자어의 독음(읽는 소리)을 쓰세요.

> '로봇'이라는 말이 처음 사용된 것은 지금으로부터 약 100년 전이에요. 1950년대에는 최초의 로봇 팔이 개발되어 工場(☐☐)에서 活用(☐용)되기 시작했고, 1970년대에는 세계 최초로 두 발로 걷는 로봇이 개발되었어요. 지금은 산업용, 우주 탐사용, 군사용, 의료용 등 다양한 형태의 로봇이 개발되고 있어요.

정리하기

주제별 한자를 그림과 함께 복습해요.

○ 다음 그림을 보고, 빈칸에 알맞은 한자를 보기 에서 찾아 쓰세요.

보기

子　孝　祖　主　姓　名　家　夫　安　場　活　住

❶ 할머니의 성[　　]은 나와 달라요.

❷ 강아지의 이름[　　]은 장군이예요.

❸ 어머니의 남편[　　]은 아버지예요.

❹ 강아지가 주인[　　] 말을 잘 들어요.

❺ 아버지는 할아버지[　　]의 아들[　　]이에요.

❻ 할머니께 효도[　　]를 하기 위해 어깨를 주물러 드렸어요.

❼ 마당[　　]에는 편안[　　]하게 쉴 수 있는 평상이 있어요.

❽ 우리 집[　　]에는 여섯 명의 가족이 함께 살며[　　] 생활[　　]하고 있어요.

급수 시험
유형 문제로
실력을 다져요!

[1~5] 다음 밑줄 친 漢字語(한자어)의 音(음: 소리)을 쓰세요.

보기

漢字 → 한자

1 부모님께 **孝道**를 하기 위해 노력합니다. ( )

2 영화를 보고 기억에 남는 **場面**을 떠올렸습니다. ( )

3 명절마다 성묘를 하러 할아버지의 **山所**에 갑니다. ( )

4 우리 **祖上**들은 여러 가지 전통 놀이를 즐겼습니다. ( )

5 **國家**는 국민들의 행복을 위해 여러 가지 일을 합니다. ( )

[6~15] 다음 漢字(한자)의 訓(훈: 뜻)과 音(음: 소리)을 쓰세요.

보기

字 → 글자 자

6 子 ( )   7 活 ( )

8 姓 ( )   9 名 ( )

10 祖 ( )   11 安 ( )

12 家 ( )   13 場 ( )

14 夫 ( )   15 主 ( )

[16~22] 다음 밑줄 친 漢字語(한자어)를 보기 에서 찾아 그 번호를 쓰세요.

보기

① 子女	② 住民	③ 名所	④ 活氣
⑤ 道場	⑥ 夫人	⑦ 祖父	⑧ 主人

16 우리 반 교실은 언제나 활기가 넘칩니다.　　　　　　(　　　　　)

17 태권도 도장에서 태권도를 배우고 있습니다.　　　　(　　　　　)

18 요즘 학부모는 자녀 교육에 관심이 많습니다.　　　　(　　　　　)

19 길에서 주운 지갑의 주인을 찾아 주었습니다.　　　　(　　　　　)

20 아버지께서는 조부께 가업을 물려받으셨습니다.　　(　　　　　)

21 그 선수는 은퇴 후에 부인과 함께 시골로 내려갔습니다.　(　　　　　)

22 외국에서 온 친구에게 우리나라의 명소를 소개했습니다.　(　　　　　)

[23~30] 다음 訓(훈: 뜻)과 音(음: 소리)에 맞는 漢字(한자)를 보기 에서 찾아 그 번호를 쓰세요.

보기

① 住	② 夫	③ 姓	④ 家	⑤ 安
⑥ 場	⑦ 活	⑧ 祖	⑨ 名	⑩ 孝

23 집 가 (　　　　)　　　　24 살 주 (　　　　)

25 살 활 (　　　　)　　　　26 성 성 (　　　　)

27 편안 안 (　　　　)　　　28 마당 장 (　　　　)

29 효도 효 (　　　　)　　　30 할아비 조 (　　　　)

31 다음 漢字(한자)의 상대 또는 반대되는 漢字(한자)를 보기에서 찾아 그 번호를 쓰세요.

보기

① 民   ② 父   ③ 夫

• 子 ↔ (   )

[32~36] 다음 뜻에 맞는 漢字語(한자어)를 보기에서 찾아 그 번호를 쓰세요.

보기

① 孝女   ② 安心   ③ 家長   ④ 姓名   ⑤ 活力

32 살아 움직이는 힘. (   )

33 부모를 잘 모시어 받드는 딸. (   )

34 걱정 없이 마음을 편히 가짐. (   )

35 성과 이름을 아울러 이르는 말. (   )

36 한 가정을 이끌어 나가는 사람. (   )

[37~40] 다음 漢字(한자)의 진하게 표시한 획은 몇 번째 쓰는지 보기에서 찾아 그 번호를 쓰세요.

보기

① 세 번째   ② 네 번째   ③ 다섯 번째   ④ 여섯 번째   ⑤ 일곱 번째

37 孝 (   )   **38** 家 (   )

39 住 (   )   **40** 安 (   )

부수 大	총 4획	쓰는 순서 一 二 千 天			

天 하늘 천 반대자 地(땅 지)	 서 있는 사람의 머리 위로 끝없이 펼쳐져 있는 곳을 나타내요. '하늘'을 뜻해요.	天 하늘 천	天 하늘 천	天 하늘 천

부수 土	총 6획	쓰는 순서 一 十 土 圤 地 地			

地 땅 지 반대자 天(하늘 천)	뱀처럼 구불구불하게 이어진 땅을 나타내요. '땅'을 뜻해요.	地 땅 지	地 땅 지	地 땅 지

1 훈(뜻)과 음(소리)에 맞는 한자를 찾아 그 번호를 쓰세요.

모양 확인

② 天
③ 江
① 海
④ 地

• 하늘 천: (   ) • 땅 지: (   ) • 바다 해: (   ) • 강 강: (   )

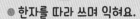● 한자를 따라 쓰며 익혀요.

다시 보기 8급 日 날 일 月 달 월

부수 氵(水)	총 10획	쓰는 순서 ` ` 氵 氵 汇 汇 海 海 海 海

海
바다 해
반대자 山(메 산)

깊고 어두운 물을 나타내요. 크고 넓은 '바다'를 뜻해요.

海	海	海
바다 해	바다 해	바다 해

부수 氵(水)	총 6획	쓰는 순서 ` ` 氵 氵 江 江

江
강 강
반대자 山(메 산)

넓고 길게 흐르는 큰 물줄기를 나타내요. '강'을 뜻해요.

江	江	江
강 강	강 강	강 강

2 한자어 카드의 빨간색 글자에 알맞은 한자를 찾아 선으로 이으세요.

훈·음 확인

한 강
우리나라 가운데를 흐르는 강.

· 海 ·
· 江 ·
· 天 ·
· 地 ·

해 녀
바닷속에 들어가 전복, 미역 등을 따는 것을 직업으로 하는 여자.

대 지
대자연의 넓고 큰 땅.

천 하
하늘 아래 온 세상.

1 다음 한자의 훈(뜻)과 음(소리)을 찾아 선으로 이으세요.

(1) 天 ·   · 강 강

(2) 地 ·   · 땅 지

(3) 海 ·   · 하늘 천

(4) 江 ·   · 바다 해

2 다음 밑줄 친 말에 해당하는 한자를 찾아 ○표 하세요.

(1) 하늘 위의 세계는 천상 → (天 , 地 , 海 , 江)

(2) 일정하게 나눈 땅은 지역 → (天 , 地 , 海 , 江)

(3) 바다와 육지가 맞닿은 곳은 해안 → (天 , 地 , 海 , 江)

(4) 강의 가장자리에 닿아 있는 땅은 강변 → (天 , 地 , 海 , 江)

3 다음 밑줄 친 말에 해당하는 한자를 보기 에서 찾아 그 번호를 쓰세요.

보기
① 海   ② 地   ③ 天   ④ 江

(1) 강에서 헤엄을 치며 놀았습니다. → (   )

(2) 먹구름이 걷히고 하늘이 맑아졌습니다. → (   )

(3) 지진이 나서 땅이 심하게 흔들렸습니다. → (   )

4 다음 밑줄 친 한자어의 독음(읽는 소리)을 쓰세요.

(1) 아버지께서는 <u>海外</u>에서 일을 하고 계십니다.　　　　　(　　　　　)

(2) 아름다운 <u>江山</u>을 지키려면 우리 모두 노력해야
합니다.　　　　　(　　　　　)

5 다음 한자의 진하게 표시한 획은 몇 번째 쓰는지 보기에서 찾아 그 번호를 쓰세요.

보기

① 네 번째　　　　② 다섯 번째　　　　③ 여섯 번째

④ 일곱 번째　　　　⑤ 여덟 번째

(1) 海 (　　　　　)　　　(2) 地 (　　　　　)

한자어 활용
6 다음 글에서 한자어의 독음(읽는 소리)을 쓰세요.

天文臺(□문대)는 우주에 있는 별 등의 물체를 *관측하고 연구
하는 곳이에요. 우리나라 최초의 천문대는 경상북도 경주시에 있는 첨성
대예요. 첨성대는 土地(□□) 위에 360여 개의 돌로 쌓아 만든 것으
로, 동양에서 가장 오래된 관측대랍니다.

*관측하고: 자연 현상을 기계를 이용하거나 눈으로 자세히 살펴보아 어떤 사실을 짐작하거나 알아내고.

한자 익히기

부수 川(巛)	총 3획	쓰는 순서 丿 丿丿 川

川
내 천

둑 사이로 물이 흘러가는 모양을 따라 만든 글자예요. 시내보다는 크고 강보다는 작은 물줄기인 '내'를 뜻해요.

川	川	川
내 천	내 천	내 천

부수 ++(艸)	총 10획	쓰는 순서 ⎺ ⎺ ⎺⎺ 艹 艹 ⎺⎺ 艹 苩 苩 草

草
풀 초

땅 위에 무성히 나 있는 풀을 나타내요. '풀'을 뜻해요.

草	草	草
풀 초	풀 초	풀 초

1 한자의 훈(뜻)과 음(소리)을 보기에서 찾아 같은 색으로 칠하세요.

모양 확인

보기

내 천 ▢   풀 초 ▢   수풀 림 ▢   꽃 화 ▢

부수 木	총 8획	쓰는 순서 一 十 才 木 村 村 村 林

林
수풀 림(임)

나무[木]에 나무[木]를 더해 만든 글자예요. 나무가 많은 '수풀'을 뜻해요.

林	林	林
수풀 림(임)	수풀 림(임)	수풀 림(임)

부수 ++(艸)	총 8획	쓰는 순서 一 十 十 艹 芖 芲 花 花

花
꽃 화

뜻을 나타내는 '++(풀 초)'와 음을 나타내는 '化(될 화)'를 합해 만든 글자예요. '꽃'을 뜻해요.

花	花	花
꽃 화	꽃 화	꽃 화

2 그림이 나타내는 한자어에 공통으로 들어간 한자를 찾아 ○표 하세요.

훈·음
확인

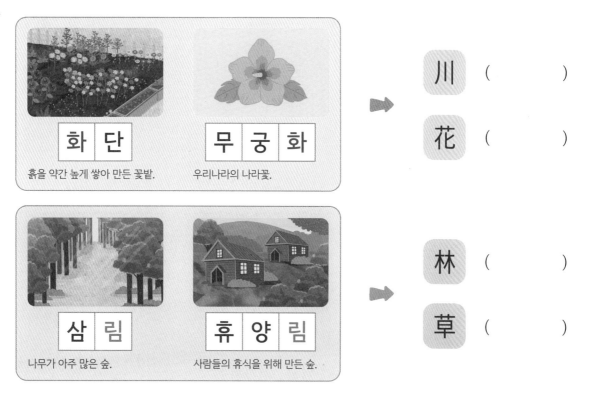

화 단

흙을 약간 높게 쌓아 만든 꽃밭.

무 궁 화

우리나라의 나라꽃.

川　(　　　)

花　(　　　)

삼 림

나무가 아주 많은 숲.

휴 양 림

사람들의 휴식을 위해 만든 숲.

林　(　　　)

草　(　　　)

실력 기르기

1 다음 한자의 훈(뜻)과 음(소리)을 찾아 선으로 이으세요.

(1) 川 ·   · 내 천

(2) 草 ·   · 풀 초

(3) 林 ·   · 꽃 화

(4) 花 ·   · 수풀 림(임)

2 다음 밑줄 친 말에 해당하는 한자를 찾아 ○표 하세요.

(1) 숲과 들은 <u>임</u>야   → (川 , 草 , 林 , 花)

(2) 강과 시내는 하<u>천</u>   → (川 , 草 , 林 , 花)

(3) 풀이 난 들판은 <u>초</u>원   → (川 , 草 , 林 , 花)

(4) 꽃을 심은 동산은 <u>화</u>원   → (川 , 草 , 林 , 花)

3 다음 밑줄 친 말에 해당하는 한자를 **보기**에서 찾아 그 번호를 쓰세요.

보기

① 草   ② 林   ③ 花   ④ 川

(1) 나비 한 마리가 <u>꽃</u> 위에 앉았습니다.   → (   )

(2) 캠핑장 뒤에는 <u>수풀</u>이 우거져 있습니다.   → (   )

(3) 소들이 들판에서 <u>풀</u>을 뜯어 먹고 있습니다.   → (   )

4 다음 밑줄 친 한자어의 독음(읽는 소리)을 쓰세요.

(1) 어머니께서는 아침마다 花草에 물을 주십니다. (   )

(2) 할아버지께서는 어릴 적 뛰어놀던 고향 山川을 그리워하셨습니다. (   )

5 다음 한자의 진하게 표시한 획은 몇 번째 쓰는지 보기 에서 찾아 그 번호를 쓰세요.

보기

① 첫 번째　　　② 두 번째　　　③ 세 번째
④ 네 번째　　　⑤ 다섯 번째

(1) 川 (   )　　　(2) 草 (   )

한자어 활용
6 다음 글에서 한자어의 독음(읽는 소리)을 쓰세요.

　　현재 지구상에 살고 있는 포유류는 약 5천여 종에 달해요. 포유류는 사막, 密林(밀 　), *극지방은 물론 하늘, 땅속, 물속까지 다양한 곳에서 살고 있어요. 포유류를 먹이의 종류에 따라 나누면 육식 동물, 草食(　 식) 동물, 잡식 동물로 나눌 수 있어요.

*극지방: 남극과 북극의 주변 지역.

부수 自	총 6획	쓰는 순서 ㇓ ㇒ ㇆ 白 自 自

自
스스로 자

自 自 自
스스로 자 / 스스로 자 / 스스로 자

사람의 코 모양을 따라 만든 글자예요. '스스로', '자기'를 뜻해요.

부수 灬(火)	총 12획	쓰는 순서 ㇒ ㇇ 夕 夕 夕 夕 妖 妖 然 然 然 然

然
그럴 연

然 然 然
그럴 연 / 그럴 연 / 그럴 연

고기를 불에 구워 먹는 것은 당연함을 나타내요. '그러하다(그렇다)', '틀림없다'를 뜻해요.

1 한자의 훈(뜻)과 음(소리)을 찾아 선으로 이으세요.

모양
확인

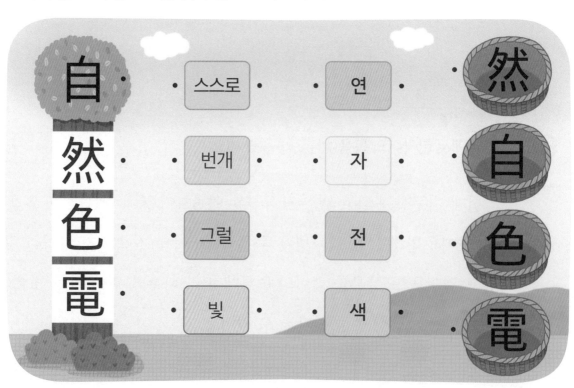

● 한자를 따라 쓰며 익혀요.

부수 色	총 6획	쓰는 순서 ⸯ ⸯ ⸯ ⸯ ⸯ 色			
色 빛 색	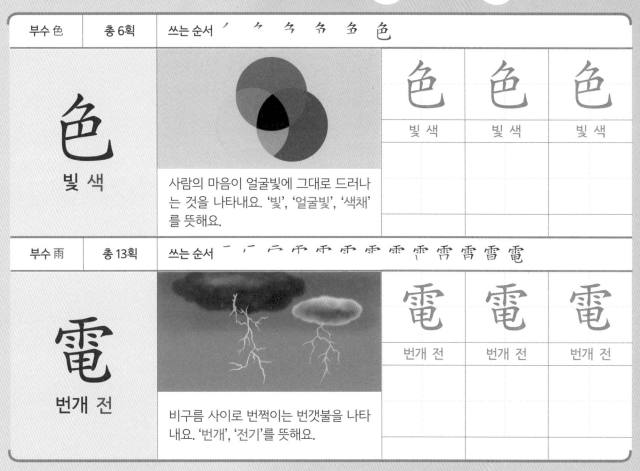 사람의 마음이 얼굴빛에 그대로 드러나는 것을 나타내요. '빛', '얼굴빛', '색채'를 뜻해요.	色 빛 색	色 빛 색	色 빛 색	
부수 雨	총 13획	쓰는 순서 ⸯ ⸯ ⸯ 币 币 雨 雨 雪 雪 霍 雷 雷 電			
電 번개 전	비구름 사이로 번쩍이는 번갯불을 나타내요. '번개', '전기'를 뜻해요.	電 번개 전	電 번개 전	電 번개 전	

2 훈·음 확인

한자어의 빨간색 글자에 알맞은 한자를 보기에서 찾아 그 번호를 쓰세요.

보기

❶ 自   ❷ 然   ❸ 色   ❹ 電

색 칠

색깔이 나도록 칠을
함. 또는 그 칠.

(   )

자 동

기계 등이 스스로 작
동함.

(   )

천 연

자연 그대로의 상태.

(   )

충 전

전기를 채워 넣는 일.

(   )

실력 기르기

1 다음 한자의 훈(뜻)과 음(소리)을 찾아 선으로 이으세요.

(1) 自 • • 빛 색

(2) 然 • • 그럴 연

(3) 色 • • 번개 전

(4) 電 • • 스스로 자

2 다음 밑줄 친 말에 해당하는 한자를 찾아 ○표 하세요.

(1) 어떤 것이 띠는 빛깔은 색상 → (自 , 然 , 色 , 電)

(2) 뜻하지 않게 일어난 일은 우연 → (自 , 然 , 色 , 電)

(3) 바로 그 사람을 이르는 말은 자신 → (自 , 然 , 色 , 電)

(4) 가정에서 사용하는 전기 기구는 가전 → (自 , 然 , 色 , 電)

3 다음 밑줄 친 말에 해당하는 한자를 보기에서 찾아 그 번호를 쓰세요.

보기

① 然   ② 色   ③ 電   ④ 自

(1) 사진이 오래돼서 빛이 바랬습니다. → (   )

(2) 갑자기 번개가 치더니 비가 내렸습니다. → (   )

(3) 선생님의 도움 없이 스스로 문제를 풀었습니다. → (   )

4 다음 밑줄 친 한자어의 독음(읽는 소리)을 쓰세요.

(1)
범인은 경찰에게 모두 자신이 한 일이라고 <u>自白</u>을 했습니다.
(   )

(2)
<u>電氣</u>를 절약하기 위해서 쓰지 않는 기기의 전원을 모두 껐습니다.
(   )

5 다음 한자의 진하게 표시한 획은 몇 번째 쓰는지 **보기**에서 찾아 그 번호를 쓰세요.

보기

① 네 번째   ② 다섯 번째   ③ 여섯 번째

④ 일곱 번째   ⑤ 여덟 번째

(1) 然 (   )   (2) 色 (   )

한자어 활용

6 다음 글에서 한자어의 독음(읽는 소리)을 쓰세요.

한국화는 그림의 소재에 따라 **自然**(   )을 그린 산수화, 인물을 그린 인물화, 사람들의 *풍속을 그린 풍속화, 꽃과 새를 그린 화조화 등으로 나눌 수 있어요. 또, 그림에 사용된 재료와 그림을 **彩色**(채   )한 방법에 따라 수묵화, 수묵 담채화, 채색화로 나눌 수도 있어요.

*풍속: 옛날부터 그 사회에 전해 오는 생활 습관.

16일 정리하기

주제별 한자를 그림과 함께 복습해요.

○ 다음 그림을 보고, 빈칸에 알맞은 한자를 보기에서 찾아 쓰세요.

보기

天　地　海　江　川　草　林　花　自　然　電　色

❶ 수풀[　]에는 큰 나무들이 많아요.

❷ 풀[　]과 꽃[　]이 피어 있어요.

❸ 강물이 흘러 넓은 바다[　]로 가요.

❹ 얕은 내[　]가 강[　]으로 흘러가요.

❺ 갑자기 하늘[　]에 번개[　]가 쳐요.

❻ 들판이 온통 녹색 빛[　]으로 물들었어요.

❼ 개구리가 땅[　] 위에 앉아 노래를 불러요.

❽ 동물은 스스로[　] 움직일 수 있지만, 식물은 그럴[　] 수 없어요.

[1~5] 다음 밑줄 친 漢字語(한자어)의 音(음: 소리)을 쓰세요.

> 보기
> 漢字 → 한자

1 <u>平地</u>를 걷는 것은 별로 힘들지 않습니다.　　　　　　（　　　　　　　　）

2 <u>生花</u>로 만든 꽃다발을 친구에게 선물했습니다.　　　（　　　　　　　　）

3 <u>天然</u> 세제를 사용하면 환경 보호에 도움이 됩니다.　（　　　　　　　　）

4 아름다운 <u>山川</u>의 경치에 감동하여 눈물이 났습니다.　（　　　　　　　　）

5 아버지께서는 <u>電子</u> 제품을 만드는 회사에 다니십니다.　（　　　　　　　　）

[6~15] 다음 漢字(한자)의 訓(훈: 뜻)과 音(음: 소리)을 쓰세요.

> 보기
> 字 → 글자 자

6 海 （　　　　　　）　　　　　7 江 （　　　　　　）

8 草 （　　　　　　）　　　　　9 林 （　　　　　　）

10 色 （　　　　　　）　　　　　11 自 （　　　　　　）

12 天 （　　　　　　）　　　　　13 花 （　　　　　　）

14 然 （　　　　　　）　　　　　15 川 （　　　　　　）

[16~22] 다음 밑줄 친 漢字語(한자어)를 **보기**에서 찾아 그 번호를 쓰세요.

보기

| ① 江北 | ② 地方 | ③ 海女 | ④ 自然 |
| ⑤ 天地 | ⑥ 草家 | ⑦ 生色 | ⑧ 中天 |

16 인간과 자연은 서로 영향을 주고받습니다.   (   )

17 해녀들이 전복을 따러 바닷속으로 들어갔습니다.   (   )

18 요즘에는 초가가 대부분 사라져서 보기 힘듭니다.   (   )

19 너무 피곤해서 해가 중천에 뜰 때까지 잠을 잤습니다.   (   )

20 태풍의 영향으로 남부 지방에 많은 비가 쏟아졌습니다.   (   )

21 서울의 강북 지역에는 우리나라의 옛 궁궐이 많습니다.   (   )

22 오빠는 숙제를 도와준 일을 두고 계속 생색을 냈습니다.   (   )

[23~30] 다음 訓(훈: 뜻)과 音(음: 소리)에 맞는 漢字(한자)를 **보기**에서 찾아 그 번호를 쓰세요.

보기

| ① 地 | ② 電 | ③ 川 | ④ 林 | ⑤ 花 |
| ⑥ 自 | ⑦ 色 | ⑧ 海 | ⑨ 草 | ⑩ 然 |

23 땅 지 (   )   **24** 빛 색 (   )

25 내 천 (   )   **26** 꽃 화 (   )

27 번개 전 (   )   **28** 그럴 연 (   )

29 바다 해 (   )   **30** 스스로 자 (   )

[31~32] 다음 漢字(한자)의 상대 또는 반대되는 漢字(한자)를 보기에서 찾아 그 번호를 쓰세요.

> **보기**
>
> ① 山   ② 電   ③ 地

31 天 ↔ (   )   **32** 江 ↔ (   )

[33~36] 다음 뜻에 맞는 漢字語(한자어)를 보기에서 찾아 그 번호를 쓰세요.

> **보기**
>
> ① 自力   ② 木草   ③ 靑色   ④ 國花

33 나무와 풀. (   )

34 스스로의 힘. (   )

35 나라를 상징하는 꽃. (   )

36 맑은 하늘이나 바다처럼 밝고 선명한 푸른색. (   )

[37~40] 다음 漢字(한자)의 진하게 표시한 획은 몇 번째 쓰는지 보기에서 찾아 그 번호를 쓰세요.

> **보기**
>
> ① 첫 번째   ② 두 번째   ③ 세 번째   ④ 네 번째   ⑤ 다섯 번째

37 天 (   )   **38** 花 (   )

39 自 (   )   **40** 電 (   )

한자 익히기

부수 辰	총 13획	쓰는 순서 ㇀ 冂 日 曲 曲 曲 芦 芦 芦 農 農 農

農
농사 농

농부가 밭[田]을 가는 모습을 나타내요. '농사'를 뜻해요.

農	農	農
농사 농	농사 농	농사 농

부수 巾	총 5획	쓰는 순서 ㇀ 亠 广 亣 市

市
저자 시

물건을 사고파는 시장에서 소리가 울려 퍼지는 것을 나타내요. '저자(시장)'를 뜻해요.

市	市	市
저자 시	저자 시	저자 시

1 한자의 훈(뜻)과 음(소리)이 바르게 쓰인 것을 따라가 선으로 이으세요.

모양
확인

農
농사 농

市
빌 공

村
마을 리(이)

里
마을 촌

市
저자 시

村
마을 촌

부수 里	총 7획	쓰는 순서 `丶 一 冂 曰 日 旦 甲 里`

里
마을 리(이)

밭[田]과 흙[土]이 있는 곳을 나타내요. '마을'을 뜻하고, 거리를 재는 단위로도 사용해요.

里	里	里
마을 리(이)	마을 리(이)	마을 리(이)

부수 木	총 7획	쓰는 순서 `一 十 才 木 朴 村 村`

村
마을 촌

뜻을 나타내는 '木(나무 목)'과 음을 나타내는 '寸(마디 촌)'을 합해 만든 글자예요. 여러 집이 모여 사는 '마을'을 뜻해요.

村	村	村
마을 촌	마을 촌	마을 촌

2 한자어 카드의 빨간색 글자에 알맞은 한자를 찾아 선으로 이으세요.

훈·음
확인

농	산	물

쌀, 채소, 과일 등 농사를 지어서 얻은 것.

도	시

정치, 경제, 문화의 중심이 되는 곳.

지	구	촌

지구 전체를 한 마을처럼 여겨 이르는 말.

•   •   •   •

農   市   里   村

실력 기르기

1 다음 한자의 훈(뜻)과 음(소리)을 찾아 선으로 이으세요.

(1) 農 ·   · 농사 농

(2) 市 ·   · 마을 촌

(3) 里 ·   · 저자 시

(4) 村 ·   · 마을 리(이)

2 다음 밑줄 친 말에 해당하는 한자를 찾아 ○표 하세요.

(1) 도시의 바깥은 시외   → (農 , 市 , 里 , 村)

(2) 시골의 작은 마을은 촌락   → (農 , 市 , 里 , 村)

(3) 직업으로 농사를 짓는 사람은 농민   → (農 , 市 , 里 , 村)

(4) 지방 행정 구역인 '이'의 일을 맡아보는 사람은 이장   → (農 , 市 , 里 , 村)

3 다음 밑줄 친 말에 해당하는 한자를 보기에서 찾아 그 번호를 쓰세요.

보기
① 農   ② 村   ③ 市

(1) 어머니를 따라 시장에 갔습니다.   → (   )

(2) 삼촌은 시골에서 농사를 지으십니다.   → (   )

(3) 우리 남매는 바닷가 마을에서 태어났습니다.   → (   )

4 다음 밑줄 친 한자어의 독음(읽는 소리)을 쓰세요.

(1) 할아버지께서는 사과 **農場**을 운영하고 계십니다. ( )

(2) 수돗물 공급이 끊겨 **市民**들의 불편이 커지고 있습니다. ( )

5 다음 한자의 진하게 표시한 획은 몇 번째 쓰는지 보기 에서 찾아 그 번호를 쓰세요.

> 보기
> ① 네 번째 　　② 다섯 번째 　　③ 여섯 번째
> ④ 일곱 번째 　　⑤ 여덟 번째

(1) 里 ( ) 　　(2) 市 ( )

한자어 활용

6 다음 글에서 한자어의 독음(읽는 소리)을 쓰세요.

> 장승은 옛날에 나그네에게 길을 알려 주는 **里程標**(□ 정 표) 역할을 했어요. 길을 가다 장승이 나오면 멀지 않은 곳에 마을이나 절이 있다는 것을 뜻했어요. 또, 그곳에서부터 마을이 시작됨을 알려 주었지요. 요즘도 간혹 **農村**(□ □)에서 장승을 볼 수 있답니다.

18일

생활 ②

한자 익히기

부수 食	총 9획	쓰는 순서 / 人 人 今 今 今 食 食 食

食

밥 / 먹을 식

그릇에 담긴 밥을 나타내요. '밥', '먹다'를 뜻해요.

食	食	食
밥/먹을 식	밥/먹을 식	밥/먹을 식

부수 亻(人)	총 6획	쓰는 순서 / 亻 亻 什 休 休

休

쉴 휴

사람[亻]과 나무[木]를 더해 사람이 나무에 기대어 쉬는 것을 나타내요. '쉬다'를 뜻해요.

休	休	休
쉴 휴	쉴 휴	쉴 휴

1 한자의 훈(뜻)과 음(소리)을 바르게 쓴 것을 모두 찾아 ○표 하세요.

모양
확인

洞 고을 읍

食 쉴 휴

邑 고을 읍

休 밥 / 먹을 식

洞 골 동

休 쉴 휴

邑 골 동

食 밥 / 먹을 식

부수 氵(水)	총 9획	쓰는 순서 ` ⟍ 氵 氵 汩 汩 洞 洞 洞			

洞

골 동
밝을 통

물[氵]이 있는 곳에 사람들이 같이[同] 모여 사는 것을 나타내요. '골(골짜기)', '동네'를 뜻해요. '밝다'를 뜻하기도 해요.

洞	洞	洞
골 동	골 동	골 동

부수 邑	총 7획	쓰는 순서 ` ⼝ ⼞ 吕 吕 吕 邑			

邑

고을 읍

성안에 많은 사람이 모여 사는 것을 나타내요. '고을'을 뜻해요.

邑	邑	邑
고을 읍	고을 읍	고을 읍

2

훈·음
확인

한자어 카드의 빨간색 글자에 알맞은 한자를 (   )에서 찾아 ○표 하세요.

휴게소

길을 가는 사람들이 머물러 쉴 수 있도록 마련한 장소.

(食, 休, 洞, 邑)

편식

음식을 가려서 먹음.

(食, 休, 洞, 邑)

동구

마을의 입구.

(食, 休, 洞, 邑)

읍리

읍과 촌락을 이르는 말.

(食, 休, 洞, 邑)

실력 기르기

1 다음 한자의 훈(뜻)과 음(소리)을 찾아 선으로 이으세요.

(1) 食 •   • 쉴 휴

(2) 休 •   • 고을 읍

(3) 洞 •   • 밥 / 먹을 식

(4) 邑 •   • 골 동 /
                                     밝을 통

2 다음 밑줄 친 말에 해당하는 한자를 찾아 ○표 하세요.

(1) 일정한 시간에 음식을 먹는 일은 식사   → (食 , 休 , 洞 , 邑)

(2) 하던 일을 멈추고 잠시 쉬는 것은 휴식   → (食 , 休 , 洞 , 邑)

(3) 한 나라의 중앙 정부가 있는 곳은 도읍   → (食 , 休 , 洞 , 邑)

(4) 사물을 정확하고 날카롭게 꿰뚫어 보는 것은 통찰   → (食 , 休 , 洞 , 邑)

3 다음 밑줄 친 말에 해당하는 한자를 보기에서 찾아 그 번호를 쓰세요.

보기
① 食	② 休	③ 邑

(1) 음식을 골고루 먹어야 합니다.   → (   )

(2) 옛날 어느 고을에 한 선비가 살았습니다.   → (   )

(3) 다리가 아파서 잠시 쉬었다 가기로 했습니다.   → (   )

4 다음 밑줄 친 한자어의 독음(읽는 소리)을 쓰세요.

(1) 우리 가족은 **休日**마다 동네 뒷산에 올라갑니다. ( )

(2) 할머니께서는 **邑內** 장터로 장을 보러 가셨습니다. ( )

5 다음 한자의 진하게 표시한 획은 몇 번째 쓰는지 보기에서 찾아 그 번호를 쓰세요.

보기

① 네 번째　　　② 다섯 번째　　　③ 여섯 번째

④ 일곱 번째　　　⑤ 여덟 번째

(1) 洞 ( )　　　(2) 食 ( )

한자어 활용

6 다음 글에서 한자어의 독음(읽는 소리)을 쓰세요.

구석기 시대 사람들의 생활 모습은 지금과 달랐어요. 구석기 시대 사람들은 **洞窟**(굴)이나 커다란 바위 그늘에서 생활했어요. 그리고 나무의 열매를 따 먹거나 물고기나 짐승을 사냥해 날것으로 먹었어요. 불을 사용하면서부터 **飮食**(음)을 익혀 먹기 시작했고, 추위와 짐승으로부터 몸을 보호했어요.

한자 익히기

부수 亅	총 8획	쓰는 순서 ー ー ㅜ ㅁ ㅁ 写 写 事 事

事
일 사

손에 도구를 들고 일하는 모습을 나타내요. '일', '직업'을 뜻해요.

事	事	事
일 사	일 사	일 사

부수 牜(牛)	총 8획	쓰는 순서 ノ ー 牜 牛 牜 牜 物 物

物
물건 물

반대자 心(마음 심)

'牛(소 우)'와 '勿(말 물)'을 합해 만든 글자예요. 옛날에 소를 중요하게 여겼던 것에서 '물건'을 뜻하게 되었어요.

物	物	物
물건 물	물건 물	물건 물

1 모양 확인

사다리를 타고 내려가 한자의 훈(뜻)과 음(소리)이 바른 것을 모두 찾아 ○표 하세요.

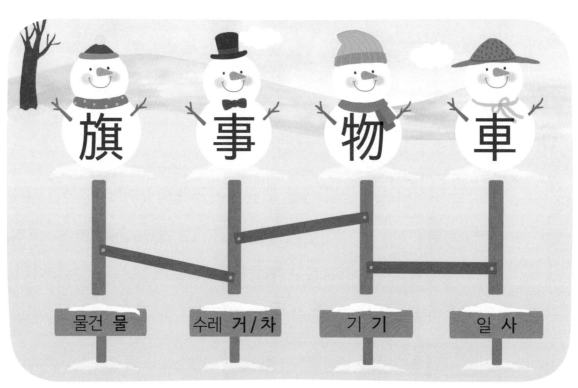

旗　事　物　車

물건 물　수레 거/차　기 기　일 사

● 한자를 따라 쓰며 익혀요.

부수 車	총 7획	쓰는 순서	一 ㄷ 斤 斤 車 車 車

車
수레 거 / 차

옛날 수레를 위에서 내려다본 모양을 따라 만든 글자예요. '수레', '차'를 뜻해요.

車	車	車
수레 거 / 차	수레 거 / 차	수레 거 / 차

부수 方	총 14획	쓰는 순서	` 一 亠 方 方 方 扩 扩 斿 斿 斿 旌 旗 旗

旗
기 기

바람에 펄럭이는 깃발을 나타내요. '기(깃발)'를 뜻해요.

旗	旗	旗
기 기	기 기	기 기

2 그림이 나타내는 한자어를 찾아 V표 하세요.

훈·음
확인

☐ **事故**
뜻밖에 일어난 불행한 일.

☐ **기事**
신문이나 잡지 등에서 어떠한 사실을 알리는 글.

☐ **식物**
풀, 나무 등 스스로의 힘으로 움직일 수 없는 생명체.

☐ **보物**
높은 가치가 있는 매우 귀하고 소중한 물건.

☐ **정車장**
버스나 열차가 머무는 장소.

☐ **인력車**
사람이 끄는, 바퀴가 두 개 달린 수레.

☐ **국旗**
한 나라를 상징하는 깃발.

☐ **旗수**
행사 때 깃발을 드는 일을 맡은 사람.

1 다음 한자의 훈(뜻)과 음(소리)을 찾아 선으로 이으세요.

(1) 事 ·   · 기 기

(2) 物 ·   · 일 사

(3) 車 ·   · 물건 물

(4) 旗 ·   · 수레 거 / 차

2 다음 밑줄 친 말에 해당하는 한자를 찾아 ○표 하세요.

(1) 옛사람들이 남긴 물건은 유물   → (事 , 物 , 車 , 旗)

(2) 세계 여러 나라의 국기는 만국기   → (事 , 物 , 車 , 旗)

(3) 관심이나 주목을 끌 만한 일은 사건   → (事 , 物 , 車 , 旗)

(4) 사람이 바퀴를 굴려서 나아가는 탈것은 자전거 → (事 , 物 , 車 , 旗)

3 다음 밑줄 친 말에 해당하는 한자를 보기에서 찾아 그 번호를 쓰세요.

보기
① 物   ② 事   ③ 車   ④ 旗

(1) 해야 할 일이 많아서 무척 바쁩니다.   → (   )

(2) 필요 없는 물건은 사지 않아야 합니다.   → (   )

(3) 돛대 끝에 달린 깃발이 바람에 펄럭였습니다.   → (   )

4 다음 밑줄 친 한자어의 독음(읽는 소리)을 쓰세요.

(1) 인도와 **車道**가 구분되어 있지 않은 곳은 위험합니다. (   )

(2) 웃어른께는 고개를 숙여 공손하게 **人事**를 해야 합니다. (   )

5 다음 한자의 진하게 표시한 획은 몇 번째 쓰는지 **보기**에서 찾아 그 번호를 쓰세요.

① 두 번째　　　② 세 번째　　　③ 네 번째

④ 다섯 번째　　　⑤ 여섯 번째

(1) 車 (   )　　(2) 物 (   )

한자어 활용
6 다음 글에서 한자어의 독음(읽는 소리)을 쓰세요.

상징은 우리 눈에 보이지 않고 말로 표현하기 힘든 것을 구체적인 **事物**(□□)로 나타내어 머릿속에 쉽게 떠오르도록 하는 표현 방법이에요. 예를 들어 비둘기는 '평화'를 상징하고, **太極旗**(태 극 □)는 '우리나라'를 상징해요.

주제별
한자를 그림과
함께 복습해요.

20일 정리하기

생활 ❶~❸

o 다음 그림을 보고, 빈칸에 알맞은 한자를 보기에서 찾아 쓰세요.

보기

農 市 里 村 食 休 洞 邑 事 物 車 旗

❶ 그늘에서 잠시 쉬어요[ ].

❷ 맛있는 국수를 먹어요[ ].

❸ 기[ ]가 살랑살랑 흔들려요.

❹ 장이 열려 고을[ ] 안이 무척 복잡해요.

❺ 감자 농사[ ]가 잘되었다며 자랑을 해요.

❻ 수레[ ]에 물건[ ]이 잔뜩 쌓여 있어요.

❼ 마을[,]의 뒷산은 골[ ]이 깊어요.

❽ 저자[ ]에는 즐겁게 일[ ]을 하는 사람들이 많아요.

급수 시험
유형 문제로
실력을 다져요!

[1~5] 다음 밑줄 친 漢字語(한자어)의 音(음: 소리)을 쓰세요.

보기

漢字 → 한자

1 주말에 **市外**로 나들이를 갔습니다. ( )

2 도로 **工事** 때문에 길이 많이 막혔습니다. ( )

3 요즘 **農村**에서는 가을걷이가 한창입니다. ( )

4 싱싱한 **海物**로 갖가지 요리를 만들었습니다. ( )

5 버스에서 **下車**할 때에는 주위를 잘 살펴야 합니다. ( )

[6~15] 다음 漢字(한자)의 訓(훈: 뜻)과 音(음: 소리)을 쓰세요.

보기

字 → 글자 자

6 里 ( ) 7 休 ( )

8 食 ( ) 9 村 ( )

10 洞 ( ) 11 邑 ( )

12 旗 ( ) 13 車 ( )

14 物 ( ) 15 市 ( )

[16~22] 다음 밑줄 친 漢字語(한자어)를 **보기** 에서 찾아 그 번호를 쓰세요.

보기

① 洞長	② 休校	③ 邑內	④ 人物
⑤ 國旗	⑥ 里長	⑦ 外食	⑧ 農場

16 이장이 마을 회의를 열었습니다. (   )

17 우리나라의 국기는 태극기입니다. (   )

18 오랜만에 친척들과 함께 외식을 하기로 했습니다. (   )

19 할아버지께서는 농장에서 닭과 돼지를 기르십니다. (   )

20 태풍으로 모든 학교가 휴교를 하기로 결정했습니다. (   )

21 할머니 댁에서 병원에 가려면 읍내까지 나가야 합니다. (   )

22 이야기 속 중심 사건을 이끌어 가는 인물은 주인공입니다. (   )

[23~30] 다음 訓(훈: 뜻)과 音(음: 소리)에 맞는 漢字(한자)를 **보기** 에서 찾아 그 번호를 쓰세요.

보기

① 事	② 食	③ 村	④ 農	⑤ 旗
⑥ 休	⑦ 物	⑧ 市	⑨ 里	⑩ 邑

23 일 사 (   )   **24** 쉴 휴 (   )

25 기 기 (   )   **26** 고을 읍 (   )

27 마을 촌 (   )   **28** 저자 시 (   )

29 물건 물 (   )   **30** 농사 농 (   )

31 다음 漢字(한자)의 상대 또는 반대되는 漢字(한자)를 보기에서 찾아 그 번호를 쓰세요.

> **보기**
> ① 內   ② 場   ③ 心

· 物 ↔ (   )

[32~36] 다음 뜻에 맞는 漢字語(한자어)를 보기에서 찾아 그 번호를 쓰세요.

> **보기**
> ① 農夫   ② 江村   ③ 休日   ④ 白旗   ⑤ 食水

32 하얀색 깃발. (   )

33 먹을 수 있는 물. (   )

34 강가 근처에 있는 마을. (   )

35 농사짓는 일을 직업으로 하는 사람. (   )

36 일요일 등과 같이 일을 하지 않고 쉬는 날. (   )

[37~40] 다음 漢字(한자)의 진하게 표시한 획은 몇 번째 쓰는지 보기에서 찾아 그 번호를 쓰세요.

> **보기**
> ① 세 번째   ② 네 번째   ③ 다섯 번째   ④ 여섯 번째   ⑤ 일곱 번째

37 農 (   )   **38** 休 (   )

39 邑 (   )   **40** 旗 (   )

부수 十	총 4획	쓰는 순서 ノ 匚 匚 午

午
낮 오

땅에 막대기를 꽂아 나타난 그림자를 보고 한낮임을 알았음을 나타내요. '낮'을 뜻해요.

午	午	午
낮 오	낮 오	낮 오

부수 夕	총 3획	쓰는 순서 ノ 勹 夕

夕
저녁 석

해가 저물고 달[月]이 뜰 무렵을 나타내요. 달빛이 밝지 않은 '저녁'을 뜻해요.

夕	夕	夕
저녁 석	저녁 석	저녁 석

1 한자의 훈(뜻)과 음(소리)을 바르게 쓴 것을 모두 찾아 ○표 하세요.

모양
확인

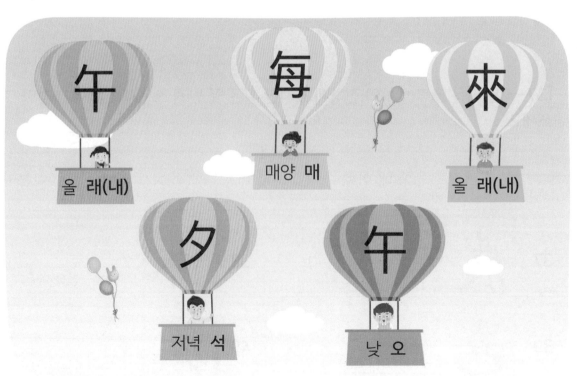

午 올 래(내)

每 매양 매

來 올 래(내)

夕 저녁 석

午 낮 오

● 한자를 따라 쓰며 익혀요.

부수 母(毋)	총 7획	쓰는 순서 ´ ` ⺒ 乍 每 每 每

每
매양 매

비녀를 꽂은 어머니[母]의 한결같은 마음을 나타내요. 언제나 같은 상태인 '매양', '매번'을 뜻해요.

每	每	每
매양 매	매양 매	매양 매

부수 人	총 8획	쓰는 순서 一 ⺈ 下 双 巫 來 來 來

來
올 래(내)

보리 모양을 따라 만든 글자예요. 옛날에는 곡식이 하늘에서 온 것이라 생각한 데서 '오다'를 뜻하게 되었어요.

來	來	來
올 래(내)	올 래(내)	올 래(내)

2 한자와 관련 있는 한자어 카드를 찾아 그 번호를 쓰세요.

훈·음
확인

❶ 전 래
예로부터 전하여 내려옴.

❷ 석 식
저녁에 먹는 밥.

❸ 단 오
우리나라의 명절. 음력 5월 5일.

❹ 매 사
하나하나의 모든 일.

(1) 午: (   ) (2) 夕: (   ) (3) 每: (   ) (4) 來: (   )

1 다음 한자의 훈(뜻)과 음(소리)을 찾아 선으로 이으세요.

(1) 午 •　　　　　　　　　• 낮 오

(2) 夕 •　　　　　　　　　• 매양 매

(3) 每 •　　　　　　　　　• 저녁 석

(4) 來 •　　　　　　　　　• 올 래(내)

2 다음 밑줄 친 말에 해당하는 한자를 찾아 ○표 하세요.

(1) 낮 열두 시는 정오 → (午 , 夕 , 每 , 來)

(2) 저녁때의 햇빛은 석양 → (午 , 夕 , 每 , 來)

(3) 하루하루의 모든 날은 매일 → (午 , 夕 , 每 , 來)

(4) 올해의 바로 다음 해는 내년 → (午 , 夕 , 每 , 來)

3 다음 밑줄 친 말에 해당하는 한자를 보기에서 찾아 그 번호를 쓰세요.

보기
① 夕　　② 每　　③ 午　　④ 來

(1) 여름에는 낮이 길고 밤이 짧습니다. → (　　　)

(2) 동생이 밤늦도록 집에 오지 않았습니다. → (　　　)

(3) 내일이 시험이라서 저녁 내내 공부를 했습니다. → (　　　)

4 다음 밑줄 친 한자어의 독음(읽는 소리)을 쓰세요.

(1) 지구의 온도가 **每年** 조금씩 올라가고 있습니다. (   )

(2) 내일 **午前** 여덟 시에 친구와 학교 앞에서 만나기로 했습니다. (   )

5 다음 한자의 진하게 표시한 획은 몇 번째 쓰는지 **보기**에서 찾아 그 번호를 쓰세요.

보기

① 네 번째   ② 다섯 번째   ③ 여섯 번째

④ 일곱 번째   ⑤ 여덟 번째

(1) 每 (   )   (2) 來 (   )

한자어 활용

6 다음 글에서 한자어의 독음(읽는 소리)을 쓰세요.

秋夕(추 □) 때 하던 놀이에는 씨름과 강강술래가 있어요. 강강술래는 여자들이 손에 손을 잡고 커다란 원을 그리면서 뛰는 놀이예요. *임진왜란 때 이순신 장군이 우리 군사가 많아 보이게 하려고 여자들에게 남자 옷을 입혀서 빙빙 돌게 했던 데서 由來(유 □)했다고 해요.

*임진왜란: 조선 선조 25년에 일본이 침입한 전쟁.

22일 시간 ② 한자 익히기

부수 日	총 10획	쓰는 순서 丨 冂 刀 月 日 旷 旷 旷 時 時

時 때 시		時 / 때 시	時 / 때 시	時 / 때 시
	해[日]가 일정한 규칙에 따라 움직여 시간이 흘러감을 나타내요. '때'를 뜻해요.			

부수 門	총 12획	쓰는 순서 丨 冂 冂 冂 冂 門 門 門 門 間 間 間

間 사이 간		間 / 사이 간	間 / 사이 간	間 / 사이 간
	두 개의 문[門] 사이로 햇빛[日]이 비치는 모습을 나타내요. '사이'를 뜻해요.			

1 한자의 훈(뜻)과 음(소리)으로 바른 것을 따라가 선으로 이으세요.

모양
확인

● 한자를 따라 쓰며 익혀요.

부수 白	총 6획	쓰는 순서 一 ア ア 万 百 百

百
일백 백

수많은 벌이 있는 벌집의 모양에서 유래한 글자예요. '일백', '모두', '모든'을 뜻해요.

百 일백 백　百 일백 백　百 일백 백

부수 十	총 3획	쓰는 순서 丿 二 千

千
일천 천

'人(사람 인)'에 '十(열 십)'을 합해 사람의 수를 나타내기 위해 만든 글자예요. '일천'을 뜻해요.

千 일천 천　千 일천 천　千 일천 천

---

2 그림이 나타내는 한자어의 뜻을 보고, 빈칸에 들어갈 한자를 찾아 선으로 이으세요.

훈·음
확인

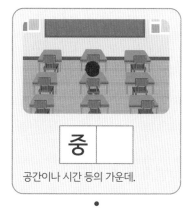

중 ☐

공간이나 시간 등의 가운데.

☐ 각

시간의 어느 한 시점.

☐ 금

아주 귀중한 것을 빗대어 이르는 말.

시(時)　　간(間)　　백(百)　　천(千)

1 다음 한자의 훈(뜻)과 음(소리)을 찾아 선으로 이으세요.

(1) 時 ·   · 때 시

(2) 間 ·   · 일백 백

(3) 百 ·   · 일천 천

(4) 千 ·   · 사이 간

2 다음 밑줄 친 말에 해당하는 한자를 찾아 ○표 하세요.

(1) 만의 천 배가 되는 수는 천만   → (時 , 間 , 百 , 千)

(2) 어떤 일이 진행되는 때는 시기   → (時 , 間 , 百 , 千)

(3) 백의 여러 배가 되는 수는 수백   → (時 , 間 , 百 , 千)

(4) 어느 때부터 다른 어느 때까지의 동안은 기간 → (時 , 間 , 百 , 千)

3 다음 밑줄 친 말에 해당하는 한자를 보기 에서 찾아 그 번호를 쓰세요.

보기

① 千   ② 間   ③ 百   ④ 時

(1) 구름 사이로 해가 살짝 보였습니다.   → (   )

(2) 공부할 때에는 바른 자세로 앉아야 합니다.   → (   )

(3) 집에서 학교까지의 거리는 백 미터쯤 됩니다.   → (   )

4 다음 밑줄 친 한자어의 독음(읽는 소리)을 쓰세요.

(1) 오랜만에 친구를 만나 즐거운 **時間**을 보냈습니다.   (   )

(2) 세종 대왕은 글을 몰라 어려움을 겪는 **百姓**들을 위해 한글을 만들었습니다.   (   )

5 다음 한자의 진하게 표시한 획은 몇 번째 쓰는지 보기 에서 찾아 그 번호를 쓰세요.

보기
① 두 번째   ② 세 번째   ③ 네 번째
④ 다섯 번째   ⑤ 여섯 번째

(1) 千 (   )   (2) 時 (   )

한자어 활용
6 다음 글에서 한자어의 독음(읽는 소리)을 쓰세요.

　줄다리기는 여러 사람이 두 편으로 나뉘어 긴 줄을 마주 잡고 서로 반대 방향으로 잡아당겨 승부를 겨루는 놀이예요. 적게는 수십 명에서 많게는 **數千**(수 　) 명의 사람들이 **同時**(동 　)에 줄을 당겨야 하므로 *협동심이 중요한 놀이이지요. 옛날 농촌에서는 줄다리기를 하면서 마을의 *풍년과 안녕을 기원했다고 해요.

＊협동심: 어떤 일을 하기 위해 서로 마음과 힘을 하나로 합하려는 마음.
＊풍년: 농사가 잘되어 다른 때보다 수확이 많은 해.

한자 익히기

부수 日	총 9획	쓰는 순서 ー ニ 三 丰 夫 夫 春 春 春

春
봄 춘

반대자 秋(가을 추)

따뜻한 햇살[日]을 받아 풀이 싹트는 계절을 나타내요. '봄'을 뜻해요.

春 봄 춘	春 봄 춘	春 봄 춘

부수 夊	총 10획	쓰는 순서 ー ァ ァ 百 百 百 頁 頁 夏 夏

夏
여름 하

반대자 冬(겨울 동)

햇볕이 강하게 내리쬐어 무더운 계절을 나타내요. '여름'을 뜻해요.

夏 여름 하	夏 여름 하	夏 여름 하

1 다람쥐들이 말한 한자를 찾아 선으로 이으세요.

모양 확인

● 한자를 따라 쓰며 익혀요.

부수 禾	총 9획	쓰는 순서 ノ ニ 千 千 禾 禾 禾 秋 秋

秋
가을 추
반대자 春(봄 춘)

秋	秋	秋
가을 추	가을 추	가을 추

'禾(벼 화)'와 '火(불 화)'를 합해 누렇게 익은 곡식을 거두어들이는 계절을 나타 내요. '가을'을 뜻해요.

부수 冫	총 5획	쓰는 순서 ノ ク 夂 冬 冬

冬
겨울 동
반대자 夏(여름 하)

冬	冬	冬
겨울 동	겨울 동	겨울 동

얼음[冫]이 꽁꽁 어는 추운 계절을 나타 내요. '겨울'을 뜻해요.

2 한자어의 빨간색 글자에 알맞은 한자를 보기 에서 찾아 그 번호를 쓰세요.

훈·음
확인

보기

❶ 春　　❷ 夏　　❸ 秋　　❹ 冬

하 복

여름에 입는 옷.

(　　)

춘 계

계절이 봄인 때.

(　　)

추 석

우리나라의 명절. 음력 팔월 보름날.

(　　)

입 동

겨울의 시작.

(　　)

1 다음 한자의 훈(뜻)과 음(소리)을 찾아 선으로 이으세요.

(1) 春 ·   · 봄 춘

(2) 夏 ·   · 겨울 동

(3) 秋 ·   · 가을 추

(4) 冬 ·   · 여름 하

2 다음 밑줄 친 말에 해당하는 한자를 찾아 ○표 하세요.

(1) 여름철 기간은 <u>하</u>절기 → (春 , 夏 , 秋 , 冬)

(2) 계절이 겨울인 때는 <u>동</u>계 → (春 , 夏 , 秋 , 冬)

(3) 일 년 중 봄이 시작된다는 날은 입<u>춘</u> → (春 , 夏 , 秋 , 冬)

(4) 가을에 잘 익은 곡식을 거두어들이는 것은 <u>추</u>수 → (春 , 夏 , 秋 , 冬)

3 다음 밑줄 친 말에 해당하는 한자를 보기에서 찾아 그 번호를 쓰세요.

보기

① 秋   ② 夏   ③ 春   ④ 冬

(1) <u>봄</u>이 되면 푸른 새싹이 돋고 꽃이 핍니다. → (   )

(2) 소나무는 <u>겨울</u>에도 잎이 시들지 않습니다. → (   )

(3) <u>여름</u> 방학을 맞아 해외여행을 다녀왔습니다. → (   )

4 다음 밑줄 친 한자어의 독음(읽는 소리)을 쓰세요.

(1) 우리나라는 **春夏秋冬**의 사계절이 뚜렷합니다. ( )

(2) 할머니께서는 옛날 사진을 보며 **靑春** 시절을 그리워하셨습니다. ( )

5 다음 한자의 진하게 표시한 획은 몇 번째 쓰는지 보기에서 찾아 그 번호를 쓰세요.

보기

① 네 번째 ② 다섯 번째 ③ 여섯 번째

④ 일곱 번째 ⑤ 여덟 번째

(1) 秋 ( ) (2) 春 ( )

한자어 활용

6 다음 글에서 한자어의 독음(읽는 소리)을 쓰세요.

冬至([ ] 지)는 일 년 중에서 낮이 가장 짧고 밤이 가장 긴 날이에요. 동지가 지나면 낮이 조금씩 길어져요. 예로부터 동지에는 귀신을 쫓기 위해 팥죽을 먹었어요. **夏至**([ ] 지)는 일 년 중에서 낮이 가장 길고 밤이 가장 짧은 날이에요. 태양이 가장 높이 뜨는 날이지요.

정리하기

○ 다음 그림을 보고, 빈칸에 알맞은 한자를 보기에서 찾아 쓰세요.

───── 보기 ─────

午　夕　每　來　時　間　百　千　春　夏　秋　冬

❶ 버스를 매양[　] 놓쳐요.

❷ 장마 때[　]에는 비가 많이 와요.

❸ 나뭇가지 사이[　]로 달이 보여요.

❹ 봄[　]이 되면 제비가 와요[　].

❺ 여름[　]은 낮[　]이 길고 밤이 짧아요.

❻ 겨울[　]에는 이른 저녁[　]도 깜깜해요.

❼ 일천[　] 마리가 넘는 철새가 하늘 위를 날아요.

❽ 가을[　]이 되어 쌀 일백[　] 가마니를 수확했어요.

[1~5] 다음 밑줄 친 漢字語(한자어)의 音(음: 소리)을 쓰세요.

> 보기
>
> 漢字 → 한자

1 秋夕에는 햇과일과 송편을 먹습니다.　　　　　　　　　(　　　　　)

2 어른의 나이를 높여서 春秋라고 부릅니다.　　　　　　(　　　　　)

3 來後年에는 동생도 초등학교에 입학합니다.　　　　　(　　　　　)

4 지난겨울에는 山間 지방에 많은 눈이 내렸습니다.　(　　　　　)

5 아기의 百日을 축하하기 위해 온 가족이 모였습니다.　(　　　　　)

[6~15] 다음 漢字(한자)의 訓(훈: 뜻)과 音(음: 소리)을 쓰세요.

> 보기
>
> 字 → 글자 자

6 午 (　　　　)　　　　　7 每 (　　　　)

8 千 (　　　　)　　　　　9 夕 (　　　　)

10 夏 (　　　　)　　　　　11 冬 (　　　　)

12 來 (　　　　)　　　　　13 間 (　　　　)

14 百 (　　　　)　　　　　15 秋 (　　　　)

[16~22] 다음 밑줄 친 漢字語(한자어)를 보기에서 찾아 그 번호를 쓰세요.

보기

① 每日	② 靑春	③ 千金	④ 日時
⑤ 夕食	⑥ 百方	⑦ 午前	⑧ 中間

16 <u>오전</u> 아홉 시까지 등교를 해야 합니다.   (   )

17 도서관은 학교와 집의 <u>중간</u>에 있습니다.   (   )

18 <u>천금</u> 같은 시간을 낭비하지 말아야 합니다.   (   )

19 건강을 위해서 <u>매일</u> 아침 줄넘기를 합니다.   (   )

20 방에 짐을 풀고 <u>석식</u>을 먹으러 식당에 갔습니다.   (   )

21 할머니께서 마음은 아직 <u>청춘</u>이라고 하셨습니다.   (   )

22 잃어버린 물건을 찾기 위해 <u>백방</u>으로 노력했습니다.   (   )

[23~30] 다음 訓(훈: 뜻)과 音(음: 소리)에 맞는 漢字(한자)를 보기에서 찾아 그 번호를 쓰세요.

보기

① 百	② 時	③ 來	④ 夏	⑤ 夕
⑥ 午	⑦ 每	⑧ 千	⑨ 冬	⑩ 春

23 때 시 (   )   **24** 봄 춘 (   )

25 낮 오 (   )   **26** 여름 하 (   )

27 저녁 석 (   )   **28** 일천 천 (   )

29 매양 매 (   )   **30** 겨울 동 (   )

[31~32] 다음 漢字(한자)의 상대 또는 반대되는 漢字(한자)를 보기 에서 찾아 그 번호를 쓰세요.

보기

① 冬   ② 秋   ③ 時

31 春 ↔ (　　　　　)　　　　32 夏 ↔ (　　　　　)

[33~36] 다음 뜻에 맞는 漢字語(한자어)를 보기 에서 찾아 그 번호를 쓰세요.

보기

① 間食   ② 午後   ③ 每月   ④ 來日

33 달마다. (　　　　　)

34 오늘의 바로 다음 날. (　　　　　)

35 식사와 식사 사이에 간단히 먹는 음식. (　　　　　)

36 낮 열두 시부터 밤 열두 시까지의 동안. (　　　　　)

[37~40] 다음 漢字(한자)의 진하게 표시한 획은 몇 번째 쓰는지 보기 에서 찾아 그 번호를 쓰세요.

보기

① 세 번째   ② 네 번째   ③ 다섯 번째   ④ 여섯 번째   ⑤ 일곱 번째

37 午 (　　　　　)　　　38 間 (　　　　　)

39 夏 (　　　　　)　　　40 冬 (　　　　　)

부수 文	총 4획	쓰는 순서 ` 一 ナ 文

文
글월 문

몸에 글자나 그림이 그려진 모습을 나타내요. '글월(글)'을 뜻해요.

文	文	文
글월 문	글월 문	글월 문

부수 子	총 6획	쓰는 순서 ` ´ ㅗ 宁 宇 字

字
글자 자

집[宀]에서 자식[子]의 수가 많아지듯 계속해서 생겨나는 글자를 나타내요. '글자', '문자'를 뜻해요.

字	字	字
글자 자	글자 자	글자 자

1 한자의 훈(뜻)과 음(소리)을 바르게 쓴 것을 모두 찾아 ○표 하세요.

모양 확인

● 한자를 따라 쓰며 익혀요.

부수 糸	총 10획	쓰는 순서	紙	紙	紙
			종이 지	종이 지	종이 지

紙
종이 지

글을 쓰고 그림을 그리는 천이나 비단을 나타내요. '종이'를 뜻해요.

부수 欠	총 14획	쓰는 순서	歌	歌	歌
			노래 가	노래 가	노래 가

歌
노래 가

입을 크게 벌려 노래하는 것을 나타내요. '노래'를 뜻해요.

2 그림이 나타내는 한자어를 찾아 ∨표 하세요.

훈·음
확인

☐ 文句
글의 구절.

☐ 文양
물건을 장식하기 위해 표면에 그리거나 새겨 넣은 무늬.

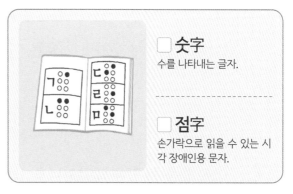

☐ 숫字
수를 나타내는 글자.

☐ 점字
손가락으로 읽을 수 있는 시각 장애인용 문자.

☐ 편紙
남에게 하고 싶은 말을 적어서 보내는 글.

☐ 표紙
책의 맨 앞과 뒤를 둘러싼 종이.

☐ 국歌
나라를 대표하고 상징하는 노래.

☐ 축歌
축하하기 위해 부르는 노래.

1 다음 한자의 훈(뜻)과 음(소리)을 찾아 선으로 이으세요.

(1) 文 ·   · 노래 가

(2) 字 ·   · 글월 문

(3) 紙 ·   · 글자 자

(4) 歌 ·   · 종이 지

2 다음 밑줄 친 말에 해당하는 한자를 찾아 ○표 하세요.

(1) 종이로 만든 돈은 지폐   → (文 , 字 , 紙 , 歌)

(2) 노래의 내용이 되는 글은 가사   → (文 , 字 , 紙 , 歌)

(3) 말과 글을 이루는 기본 단위는 문장   → (文 , 字 , 紙 , 歌)

(4) 컴퓨터에서 문자나 기호를 입력하는 글자판은 자판   → (文 , 字 , 紙 , 歌)

3 다음 밑줄 친 말에 해당하는 한자를 보기에서 찾아 그 번호를 쓰세요.

보기

① 子   ② 字   ③ 紙   ④ 歌

(1) 라디오에서 노래가 흘러나왔습니다.   → (   )

(2) 동생에게 글자를 가르쳐 주었습니다.   → (   )

(3) 종이를 접어서 비행기를 만들었습니다.   → (   )

4 다음 밑줄 친 한자어의 독음(읽는 소리)을 쓰세요.

(1) 졸업식 때 전교생이 다 함께 **校歌**를 불렀습니다. ( )

(2) 바닥에 떨어져 있는 **休紙**를 주워 쓰레기통에 버렸습니다. ( )

5 다음 한자의 진하게 표시한 획은 몇 번째 쓰는지 보기에서 찾아 그 번호를 쓰세요.

보기

① 세 번째 ② 네 번째 ③ 다섯 번째
④ 여섯 번째 ⑤ 일곱 번째

(1) 文 ( ) (2) 紙 ( )

한자어 활용

6 다음 글에서 한자어의 독음(읽는 소리)을 쓰세요.

인류는 처음에 먹을 것을 찾아 이동하며 살았어요. 그러다 점차 한곳에 머물며 농사를 짓게 되었지요. 사람들은 여유가 생기자 자식을 많이 낳았어요. 그러면서 마을은 점점 커지고, 사람들의 생각이나 생활을 기록하기 위한 **文字**( )도 생겨났지요. 또, 다른 사람들을 이끄는 우두머리도 나타났어요. 이런 변화로 **文明**(명)이 탄생한 거예요.

부수 口	총 11획	쓰는 순서	丨 冂 冂 冂 冃 門 門 門 門 問 問

問
물을 문

반대자 答(대답 답)

'門(문 문)'과 'ㅁ(입 구)'를 합해 만든 글자예요. 남의 집을 방문해 질문한다는 데서 '묻다'를 뜻해요.

問	問	問
물을 문	물을 문	물을 문

부수 ⺮(竹)	총 12획	쓰는 순서	ノ ト ト 竻 竹 ペ ゲ 灰 灰 签 答 答

答
대답 답

반대자 問(물을 문)

대나무[竹]에 편지를 써서 답해 주는 것을 나타내요. '대답'을 뜻해요.

答	答	答
대답 답	대답 답	대답 답

1 한자의 훈(뜻)과 음(소리)을 찾아 선으로 이으세요.

모양 확인

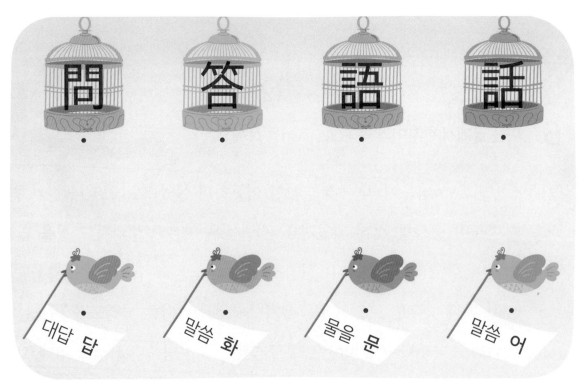

부수 言	총 14획	쓰는 순서 ` ᆖ ᆖ ᆖ 言 言 言 言 訂 語 語 語 語			

語
말씀 어

뜻을 나타내는 '言(말씀 언)'과 음을 나타내는 '吾(나 오)'를 합해 만든 글자예요. '말씀', '말하다'를 뜻해요.

語	語	語
말씀 어	말씀 어	말씀 어

부수 言	총 13획	쓰는 순서 ` ᆖ ᆖ ᆖ 言 言 言 言 訂 訐 話 話			

話
말씀 화

혀[舌]를 움직여 말[言]을 하는 것을 나타내요. '말씀', '말하다'를 뜻해요.

話	話	話
말씀 화	말씀 화	말씀 화

2 그림이 나타내는 한자어에 공통으로 들어간 한자를 찾아 ○표 하세요.

훈·음
확인

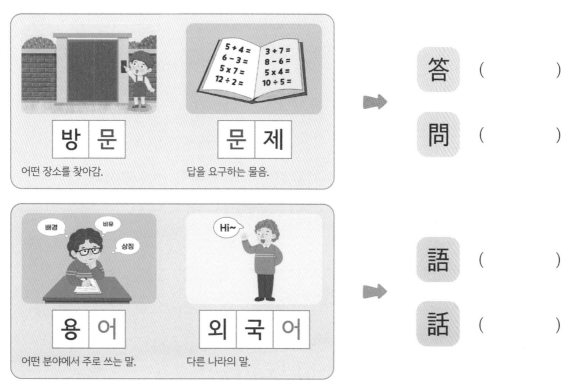

방 문	문 제

어떤 장소를 찾아감.   답을 요구하는 물음.

答 (　　　)

問 (　　　)

용 어	외 국 어

어떤 분야에서 주로 쓰는 말.   다른 나라의 말.

語 (　　　)

話 (　　　)

1 다음 한자의 훈(뜻)과 음(소리)을 찾아 선으로 이으세요.

(1) 問 ·   · 대답 답

(2) 答 ·   · 물을 문

(3) 語 ·   · 말씀 어

(4) 話 ·   · 말씀 화

2 다음 밑줄 친 말에 해당하는 한자를 찾아 ○표 하세요.

(1) 답으로 쓴 편지는 답장   → (問 , 答 , 語 , 話)

(2) 이야기할 만한 재료나 소재는 화제   → (問 , 答 , 語 , 話)

(3) 모르거나 알고 싶은 것을 묻는 것은 질문 → (問 , 答 , 語 , 話)

(4) 홀로 쓰일 수 있는 가장 작은 말의 단위는 단어 → (問 , 答 , 語 , 話)

3 다음 밑줄 친 말에 해당하는 한자를 보기에서 찾아 그 번호를 쓰세요.

보기
① 答   ② 語   ③ 問

(1) 선생님의 부름에 크게 대답했습니다.   → (   )

(2) 웃어른의 말씀은 잘 새겨들어야 합니다.   → (   )

(3) 전학 온 친구에게 집이 어디인지 물었습니다.   → (   )

4 다음 밑줄 친 한자어의 독음(읽는 소리)을 쓰세요.

(1) 옛날에는 아침마다 집안의 어른들께 <u>問安</u> 인사를 드렸습니다. (   )

(2) 문제집의 <u>答紙</u>를 잃어버려서 문제의 정답을 알 수가 없습니다. (   )

5 다음 한자의 진하게 표시한 획은 몇 번째 쓰는지 보기에서 찾아 그 번호를 쓰세요.

보기
① 여섯 번째   ② 일곱 번째   ③ 여덟 번째
④ 아홉 번째   ⑤ 열 번째

(1) 話 (   )   (2) 問 (   )

한자어 활용
6 다음 글에서 한자어의 독음(읽는 소리)을 쓰세요.

手話(☐☐)는 청각 장애가 있는 사람들이 사용하는 의사소통 방법이에요. 손과 손가락의 모양, 손바닥의 방향, 손의 위치, 손의 움직임을 달리하여 의미를 전달하는 言語(언☐)이지요. 또 같은 동작이라도 표정에 따라 의미가 달라지기도 한답니다.

부수 攵(攴)	총 15획	쓰는 순서	丶 冂 冃 冄 冄 冄 咼 咼 婁 婁 婁 數 數 數 數

數
셈 수

하나, 둘, 셋...

막대기를 겹쳐 셈을 하는 것을 나타내요. '셈', '세다'를 뜻해요.

數	數	數
셈 수	셈 수	셈 수

부수 竹(竹)	총 14획	쓰는 순서	丿 ㇓ ㇒ ㇒ ㇏ ㇏ 竺 竺 竺 筲 筲 算 算 算

算
셈 산

하나, 둘, 셋...

대나무[竹]를 갖추어 놓고 셈을 하는 것을 나타내요. '셈', '계산', '셈하다'를 뜻해요.

算	算	算
셈 산	셈 산	셈 산

1 '셈'을 뜻하는 한자를 따라가 선으로 이으세요.

모양
확인

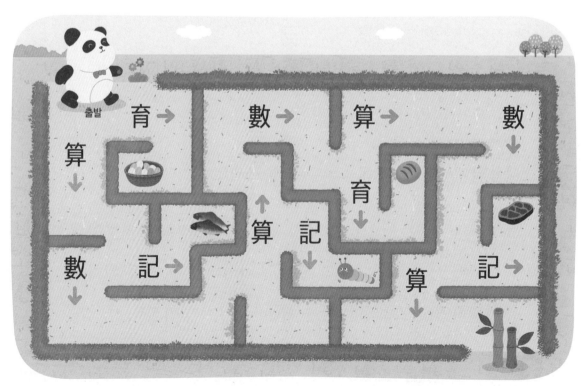

● 한자를 따라 쓰며 익혀요.

부수 月(肉)	총 8획	쓰는 순서 　一 亠 云 云 产 育 育 育

育
기를 육

갓난아이를 기르는 것을 나타내요. '기르다', '자라다'를 뜻해요.

育	育	育
기를 육	기를 육	기를 육

부수 言	총 10획	쓰는 순서 　` 二 二 言 言 言 記 記 記

記
기록할 기

말[言]을 나[己]의 머릿속에 기억하기 위해 받아 적는 것을 나타내요. '기록하다'를 뜻해요.

記	記	記
기록할 기	기록할 기	기록할 기

2 그림이 나타내는 한자어의 뜻을 보고, 빈칸에 들어갈 한자를 찾아 선으로 이으세요.

훈·음 확인

체 ☐

운동으로 몸을 튼튼하게 만드는 일.

●

점 ☐

성적을 나타내는 숫자.

●

☐ 사

신문 등에서 어떤 사실을 알리는 글.

●

　　　●　　　　　　　●　　　　　　　●　　　　　　　●

수(數)　　　　산(算)　　　　육(育)　　　　기(記)

1 다음 한자의 훈(뜻)과 음(소리)을 찾아 선으로 이으세요.

(1) 數 •   • 셈 산

(2) 算 •   • 셈 수

(3) 育 •   • 기를 육

(4) 記 •   • 기록할 기

2 다음 밑줄 친 말에 해당하는 한자를 찾아 ○표 하세요.

(1) 수와 양은 수량   → (數 , 算 , 育 , 記)

(2) 수를 헤아리는 것은 계산   → (數 , 算 , 育 , 記)

(3) 이전의 일을 잊지 않고 다시 생각해 내는 것은 기억   → (數 , 算 , 育 , 記)

(4) 동물을 기르거나 훈련하는 일을 하는 사람은 사육사   → (數 , 算 , 育 , 記)

3 다음 밑줄 친 말에 해당하는 한자를 보기에서 찾아 그 번호를 쓰세요.

보기
① 育   ② 記   ③ 算

(1) 형은 셈이 빠르고 정확한 편입니다.   → (   )

(2) 회의 내용을 꼼꼼히 기록해 두었습니다.   → (   )

(3) 이모는 세 명의 아이를 낳아 길렀습니다.   → (   )

4 다음 밑줄 친 한자어의 독음(읽는 소리)을 쓰세요.

(1)
> 오늘은 학교에서 교통안전 **教育**을 받는 날입니다.

(   )

(2)
> 언니는 초등학교 때부터 매일 **日記**를 쓰고 있습니다.

(   )

5 다음 한자의 진하게 표시한 획은 몇 번째 쓰는지 보기에서 찾아 그 번호를 쓰세요.

보기

① 두 번째	② 세 번째	③ 네 번째
④ 다섯 번째	⑤ 여섯 번째	

(1) 數 (   )   (2) 育 (   )

한자어 활용

6 다음 글에서 한자어의 독음(읽는 소리)을 쓰세요.

> 1489년, 독일의 **數學者**(☐☐ 자) 비트만이 자신이 쓴 책에 +를 처음 사용했어요. 비트만이 책을 쓸 때 '~과/와'라는 뜻으로 쓰이는 문자 'et'를 빨리 쓰다가 + 모양이 되었지요. 그러나 비트만은 +를 지금과는 다른 뜻으로 사용했어요. +를 지금과 같은 덧셈 **記號**(☐ 호)로 처음 사용한 것은 네덜란드의 수학자 호이케였어요.

부수 氵(水)	총 14획	쓰는 순서 ` ヽ ⺀ ⺀ ⺀ 汁 汁 汁 汁 漢 漢 漢 漢 漢

漢
한수 / 한나라 한

漢	漢	漢
한수 / 한나라 한	한수 / 한나라 한	한수 / 한나라 한

한나라가 한수 지역에 세워진 것을 나타내요. '한수', '한나라'를 뜻해요.

부수 口	총 6획	쓰는 순서 丨 冂 冂 冋 同 同

同
한가지 동

同	同	同
한가지 동	한가지 동	한가지 동

여러 사람의 말이 하나로 모이는 것을 나타내요. '한가지', '함께'를 뜻해요.

1

모양 확인

훈(뜻)과 음(소리)에 맞는 한자를 찾아 그 번호를 쓰세요.

❷ 不
❶ 同
❸ 正
❹ 漢

- 한수 / 한나라 한: (   )
- 바를 정: (   )
- 한가지 동: (   )
- 아닐 불(부): (   )

● 한자를 따라 쓰며 익혀요.

부수 止	총 5획	쓰는 순서	一　丁　下　正　正

正 正 正
바를 정　바를 정　바를 정

正
바를 정

성을 정복하러 가는 모습을 나타내요. 적을 물리치는 것은 정당하다는 데서 '바르다'를 뜻해요.

부수 一	총 4획	쓰는 순서	一　ア　オ　不

不 不 不
아닐 불(부)　아닐 불(부)　아닐 불(부)

不
아닐 불(부)

땅속으로 뿌리를 내린 씨앗이 아직 싹을 틔우지 못한 모습을 나타내요. '아니다', '못하다', '없다'를 뜻해요.

2 한자어 카드의 빨간색 글자에 알맞은 한자를 ( )에서 찾아 ○표 하세요.

훈·음
확인

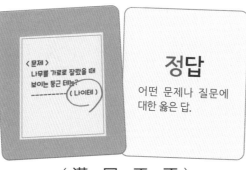

정답
어떤 문제나 질문에 대한 옳은 답.

(漢 , 同 , 正 , 不)

부족
양이 모자라거나 넉넉하지 않음.

(漢 , 同 , 正 , 不)

동점
같은 점수.

(漢 , 同 , 正 , 不)

한자
중국 고유의 문자.

(漢 , 同 , 正 , 不)

실력 기르기

1 다음 한자의 훈(뜻)과 음(소리)을 찾아 선으로 이으세요.

(1) 漢 •   • 바를 정

(2) 同 •   • 한가지 동

(3) 正 •   • 아닐 불(부)

(4) 不 •   • 한수 / 한나라 한

2 다음 밑줄 친 말에 해당하는 한자를 찾아 ○표 하세요.

(1) 한자로 쓰인 글은 <u>한</u>문   → (漢 , 同 , 正 , 不)

(2) 바르고 확실한 것은 <u>정</u>확   → (漢 , 同 , 正 , 不)

(3) 조심을 하지 않는 것은 <u>부</u>주의   → (漢 , 同 , 正 , 不)

(4) 마음과 힘을 하나로 합하는 것은 협<u>동</u>   → (漢 , 同 , 正 , 不)

3 다음 밑줄 친 말에 해당하는 한자를 보기에서 찾아 그 번호를 쓰세요.

보기

① 同   ② 漢   ③ 不   ④ 正

(1) 시험이 끝났지만 마음이 편하지 <u>않습니다</u>.   → (   )

(2) 잘못된 부분을 찾아 <u>바르게</u> 고쳐 썼습니다.   → (   )

(3) 언니와 동생이 <u>한가지</u>로 마음씨가 곱습니다.   → (   )

4 다음 밑줄 친 한자어의 독음(읽는 소리)을 쓰세요.

(1) 친구들의 생각은 선생님의 생각과 <u>同一</u>했습니다. ( )

(2) <u>正面</u>에 보이는 건물이 우리나라에서 제일 큰 도서관입니다. ( )

5 다음 한자의 진하게 표시한 획은 몇 번째 쓰는지 보기에서 찾아 그 번호를 쓰세요.

> 보기
>
> ① 두 번째　　　② 세 번째　　　③ 네 번째
> ④ 다섯 번째　　　⑤ 여섯 번째

(1) 漢 ( )　　　(2) 正 ( )

한자어 활용

6 다음 글에서 한자어의 독음(읽는 소리)을 쓰세요.

> 옛날에는 漢江([ ] [ ])에 다리가 없어서 강을 건너려면 배를 타야 했어요. 하지만 왕이 행차할 때에는 수많은 사람들이 뒤따랐기 때문에 모두 한 배를 타는 것은 不可能([ ] 가 능)했어요. 그때 이용했던 다리가 바로 '배다리'예요. 배다리는 배를 이어 놓고, 그 위를 걸어서 건널 수 있게 만든 다리예요.

정리하기

주제별 한자를 그림과 함께 복습해요.

○ 다음 그림을 보고, 빈칸에 알맞은 한자를 보기 에서 찾아 쓰세요.

보기

文 字 紙 歌 問 答 語 話 數 算 育 記 漢 同 正 不

❶ 좋아하는 노래[ ]를 불러요.

❷ 예쁜 화분에 식물을 길러요[ ].

❸ 수업 시간이 아니어서[ ] 자유롭게 쉬어요.

❹ 친구와 수수께끼를 묻고[ ] 답하며[ ] 놀아요.

❺ 기억에 남는 일을 기록해서[ ] 글[ ]로 남겨요.

❻ 바르게[ ] 앉아서 종이[ ]에 글자[ ]를 써요.

❼ 아이들이 모두 한가지[ ]로 셈[,]을 잘해요.

❽ 선생님께서 한나라[ ]에 대해 말씀[,]해 주셨어요.

[1~5] 다음 밑줄 친 漢字語(한자어)의 音(음: 소리)을 쓰세요.

> **보기**
>
> 漢字 → 한자

1   형은 **數學** 과목을 가장 좋아합니다.　　　　　　　(　　　　　)

2   부모님께서는 **教育**에 관심이 많으십니다.　　　　　(　　　　　)

3   시장은 기자들과 **問答**을 주고받았습니다.　　　　　(　　　　　)

4   수업이 끝나고 학교 **正門**에서 만나기로 했습니다.　(　　　　　)

5   이 작가가 쓴 글은 당대 최고의 **名文**으로 손꼽힙니다.　(　　　　　)

[6~15] 다음 漢字(한자)의 訓(훈: 뜻)과 音(음: 소리)을 쓰세요.

> **보기**
>
> 字 → 글자 자

6   話 (　　　　　)　　　　7   算 (　　　　　)

8   問 (　　　　　)　　　　9   語 (　　　　　)

10 歌 (　　　　　)　　　11 記 (　　　　　)

12 字 (　　　　　)　　　13 同 (　　　　　)

14 不 (　　　　　)　　　15 漢 (　　　　　)

[16~22] 다음 밑줄 친 漢字語(한자어)를 <보기>에서 찾아 그 번호를 쓰세요.

<보기>

① 文字　　② 手話　　③ 電話　　④ 問安
⑤ 不足　　⑥ 國語　　⑦ 漢江　　⑧ 正午

16 낮 열두 시를 '정오'라고 합니다. 　　　　　　　　(　　　　　)

17 주말마다 한강에서 자전거를 탑니다. 　　　　　(　　　　　)

18 삼촌께서는 3개 국어를 할 줄 아십니다. 　　　(　　　　　)

19 시간이 부족해서 숙제를 다 하지 못했습니다. 　(　　　　　)

20 공연장에서는 휴대 전화를 꺼 두어야 합니다. 　(　　　　　)

21 훈민정음은 세종 대왕이 1443년에 만든 문자입니다. 　(　　　　　)

22 스승의 날을 맞아 선생님께 문안을 드리러 갔습니다. 　(　　　　　)

[23~30] 다음 訓(훈: 뜻)과 音(음: 소리)에 맞는 漢字(한자)를 <보기>에서 찾아 그 번호를 쓰세요.

<보기>

① 文　　② 不　　③ 紙　　④ 數　　⑤ 育
⑥ 正　　⑦ 話　　⑧ 歌　　⑨ 記　　⑩ 答

23 셈 수 (　　　　　)　　　　24 종이 지 (　　　　　)

25 대답 답 (　　　　　)　　　26 글월 문 (　　　　　)

27 기를 육 (　　　　　)　　　28 말씀 화 (　　　　　)

29 노래 가 (　　　　　)　　　30 기록할 기 (　　　　　)

31 다음 漢字(한자)의 상대 또는 반대되는 漢字(한자)를 [보기]에서 찾아 그 번호를 쓰세요.

> **보기**
>
> ① 語 　　　　 ② 歌 　　　　 ③ 問

· 答 ↔ (　　　　　　　)

[32~36] 다음 뜻에 맞는 漢字語(한자어)를 [보기]에서 찾아 그 번호를 쓰세요.

> **보기**
>
> ① 不孝 　　 ② 韓紙 　　 ③ 國歌 　　 ④ 後記 　　 ⑤ 同時

32 같은 때. (　　　　　　　)

33 한국 고유의 종이. (　　　　　　　)

34 본문 끝에 덧붙여 기록하는 글. (　　　　　　　)

35 나라를 대표하고 상징하는 노래. (　　　　　　　)

36 부모를 공경하지 않고 잘 받들지 않음. (　　　　　　　)

[37~40] 다음 漢字(한자)의 진하게 표시한 획은 몇 번째 쓰는지 [보기]에서 찾아 그 번호를 쓰세요.

> **보기**
>
> ① 여섯 번째 　　 ② 일곱 번째 　　 ③ 여덟 번째 　　 ④ 아홉 번째 　　 ⑤ 열 번째

37 字 (　　　　　) **38** 語 (　　　　　)

39 算 (　　　　　) **40** 歌 (　　　　　)

한자 익히기

부수 力	총 11획	쓰는 순서 ′ ′ ′ ′ ′ ′ ′ 重 重 動 動

動		動	動	動
움직일 동		움직일 동	움직일 동	움직일 동

무거운[重] 보따리를 힘[力]을 써서 옮기는 것을 나타내요. '움직이다', '옮기다'를 뜻해요.

부수 目	총 8획	쓰는 순서 一 十 十 广 古 古 首 首 直

直		直	直	直
곧을 직		곧을 직	곧을 직	곧을 직

열[十] 사람의 눈[目]으로 숨어 있는 것을 바르게 보는 것을 나타내요. '곧다', '바르다'를 뜻해요.

1 한자의 훈(뜻)과 음(소리)을 보기에서 찾아 같은 색으로 칠하세요.

모양
확인

보기

움직일 동 ● 　　곧을 직 ● 　　오를 등 ● 　　심을 식

● 한자를 따라 쓰며 익혀요.

다시 보기 8급 大 큰 대 小 작을 소

부수 𣥠	총 12획	쓰는 순서 ㄱ ㄱ ㄱ ㄱ ㄱ ㄱ 癶 癶 癶 登 登 登

登
오를 등

제사에 쓸 그릇을 들고 제사를 지내는 단에 올라가는 것을 나타내요. '오르다', '올리다', '이르다'를 뜻해요.

登	登	登
오를 등	오를 등	오를 등

부수 木	총 12획	쓰는 순서 一 十 才 木 朾 杧 柿 柿 柿 植 植 植

植
심을 식

나무[木]를 곧게[直] 심는 것을 나타내요. '심다', '세우다'를 뜻해요.

植	植	植
심을 식	심을 식	심을 식

2 한자와 관련 있는 한자어 카드를 찾아 그 번호를 쓰세요.

훈·음
확인

❶ 직 선

굽지 않은 곧은 선.

❷ 식 물

스스로의 힘으로 움직일 수 없는 생명체.

❸ 등 교

학생이 학교에 감.

❹ 운 동

건강을 위해 몸을 움직이는 일.

(1) 動: (　　　) (2) 直: (　　　) (3) 登: (　　　) (4) 植: (　　　)

1 다음 한자의 훈(뜻)과 음(소리)을 찾아 선으로 이으세요.

(1) 動 •　　　　　　　　　　　• 오를 등

(2) 直 •　　　　　　　　　　　• 심을 식

(3) 登 •　　　　　　　　　　　• 곧을 직

(4) 植 •　　　　　　　　　　　• 움직일 동

2 다음 밑줄 친 말에 해당하는 한자를 찾아 ○표 하세요.

(1) 산에 오르는 것은 등산　　　　　　　→ (動 , 直 , 登 , 植)

(2) 몸을 움직여 행동하는 것은 활동　　　→ (動 , 直 , 登 , 植)

(3) 거짓 없이 바르고 곧은 것은 정직　　　→ (動 , 直 , 登 , 植)

(4) 나무를 많이 심고 잘 가꾸도록 하기 위해 정한 날은 식목일

　　　　　　　　　　　　　　　　　　→ (動 , 直 , 登 , 植)

3 다음 밑줄 친 말에 해당하는 한자를 보기에서 찾아 그 번호를 쓰세요.

보기
① 登　　　② 直　　　③ 動　　　④ 植

(1) 김장을 하기 위해 텃밭에 배추를 심었습니다.　　　→ (　　　　)

(2) 아기가 발가락을 꼼지락꼼지락 움직였습니다.　　　→ (　　　　)

(3) 오르지 못할 나무는 쳐다보지도 말라는 속담이 있습니다. → (　　　　)

4 다음 밑줄 친 한자어의 독음(읽는 소리)을 쓰세요.

(1) 무대에 주인공이 **登場**을 하면서 연극이 시작되었습니다. (   )

(2) 한 시간 뒤에 에어컨이 **自動**으로 꺼지도록 설정해 놓았습니다. (   )

5 다음 한자의 진하게 표시한 획은 몇 번째 쓰는지 보기에서 찾아 그 번호를 쓰세요.

보기

① 두 번째   ② 세 번째   ③ 네 번째

④ 다섯 번째   ⑤ 여섯 번째

(1) 直 (   )   (2) 登 (   )

한자어 활용

6 다음 글에서 한자어의 독음(읽는 소리)을 쓰세요.

植物(☐ ☐)은 잎을 통해 오염 물질을 빨아들이고 산소를 내뿜어 공기를 깨끗하게 만들어요. 이러한 식물의 공기 *정화 능력을 활용해서 식물이 건물의 벽면에서 垂直(수 ☐)으로 자라도록 만든 정원을 '수직 정원'이라고 해요. 수직 정원을 건물의 내부에 설치하면 공기 질이 좋아지고, 공간도 아름답게 꾸밀 수 있어요.

＊정화: 더러운 것을 깨끗하게 함.

| 부수 立 | 총 5획 | 쓰는 순서 ` ㅡ ㅗ ㅎ 立 |

立
설 립(입)

땅 위에 서 있는 사람의 모습을 따라 만든 글자예요. '서다', '세우다'를 뜻해요.

| 立 | 立 | 立 |
| 설 립(입) | 설 립(입) | 설 립(입) |

| 부수 入 | 총 6획 | 쓰는 순서 ノ 入 仝 仝 全 全 |

全
온전 전

흠집이 전혀 없는 온전한 옥[玉]을 나타내요. '온전하다', '모두'를 뜻해요.

| 全 | 全 | 全 |
| 온전 전 | 온전 전 | 온전 전 |

1 사다리를 타고 내려가 한자의 훈(뜻)과 음(소리)이 바른 것을 모두 찾아 ○표 하세요.

모양 확인

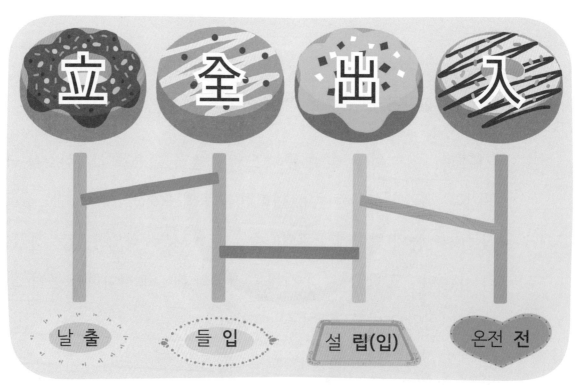

날 출　들 입　설 립(입)　온전 전

● 한자를 따라 쓰며 익혀요.

부수 凵	총 5획	쓰는 순서 ㅣ ㅛ ㅛ 出 出

出
날 출

반대자 入(들 입)

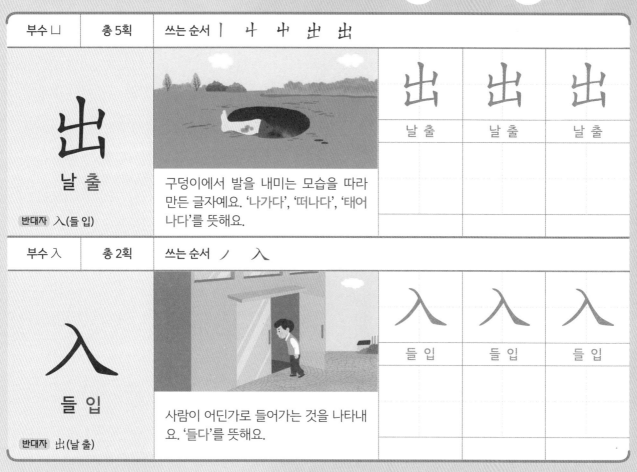

구덩이에서 발을 내미는 모습을 따라 만든 글자예요. '나가다', '떠나다', '태어 나다'를 뜻해요.

出	出	出
날 출	날 출	날 출

부수 入	총 2획	쓰는 순서 ノ 入

入
들 입

반대자 出(날 출)

사람이 어딘가로 들어가는 것을 나타내 요. '들다'를 뜻해요.

入	入	入
들입	들입	들입

2 한자어 카드의 빨간색 글자에 알맞은 한자를 찾아 선으로 이으세요.

훈·음
확인

전 신

몸 전체.

· 立 ·

· 全 ·

· 出 ·

· 入 ·

독 립

한 나라가 완전한 주권을 가짐.

입 장

어떤 장소 안으로 들어감.

출 발

어떤 곳을 향하여 길을 떠남.

1 다음 한자의 훈(뜻)과 음(소리)을 찾아 선으로 이으세요.

(1) 立 •

(2) 全 •

(3) 出 •

(4) 入 •

• 들 입

• 날 출

• 온전 전

• 설 립(입)

2 다음 밑줄 친 말에 해당하는 한자를 찾아 ○표 하세요.

(1) 온 나라 전체는 전국 → (立 , 全 , 出 , 入)

(2) 밖으로 나갈 수 있는 문은 출구 → (立 , 全 , 出 , 入)

(3) 공부하기 위해 학교에 들어가는 것은 입학 → (立 , 全 , 出 , 入)

(4) 열차나 극장에서 서서 타거나 구경하는 자리는 입석 → (立 , 全 , 出 , 入)

3 다음 밑줄 친 말에 해당하는 한자를 보기에서 찾아 그 번호를 쓰세요.

보기

① 前   ② 全   ③ 出   ④ 入

(1) 이 집은 나와 동생이 나고 자란 곳입니다. → ( )

(2) 추위를 피해 근처의 식당으로 들어갔습니다. → ( )

(3) 지진 때문에 온전하게 남은 집이 없었습니다. → ( )

4 다음 밑줄 친 한자어의 독음(읽는 소리)을 쓰세요.

(1) '出入 금지'라고 적힌 곳에 함부로 들어가면 안 됩니다. ( )

(2) 인간은 몸을 곧게 세우고 두 발로 걷는 直立 보행을 합니다. ( )

5 다음 한자의 진하게 표시한 획은 몇 번째 쓰는지 보기에서 찾아 그 번호를 쓰세요.

보기

① 첫 번째   ② 두 번째   ③ 세 번째

④ 네 번째   ⑤ 다섯 번째

(1) 全 ( )   (2) 出 ( )

한자어 활용

6 다음 글에서 한자어의 독음(읽는 소리)을 쓰세요.

우리나라에서 화약이 사용된 것은 고려 말부터였어요. 하지만 그때에는 화약 만드는 방법을 몰랐기 때문에 全部(□ 부) 중국에서 輸入 (수 □)했어요. 그러다 고려 말에 최무선이 중국 원나라 상인에게서 화약 만드는 법을 배우고 끊임없이 연구하여 마침내 우리나라도 화약을 만들 수 있게 되었답니다.

부수 里	총 9획	쓰는 순서 ー ニ ニ 宀 宀 旨 盲 重 重			
重 무거울 중		무거운 보따리를 등에 진 것을 나타내요. '무겁다', '소중하다'를 뜻해요.	重 무거울 중	重 무거울 중	重 무거울 중
부수 小	총 4획	쓰는 순서 ♪ 小 小 少			
少 적을 소 반대자 多(많을 다), 老(늙을 로)		작은 조각이 튀는 모습을 나타내요. '적다', '젊다'를 뜻해요.	少 적을 소	少 적을 소	少 적을 소

1 한자의 훈(뜻)과 음(소리)을 찾아 선으로 이으세요.

모양
확인

重	有	便	少
무거울 중	편할 편	있을 유	적을 소

● 한자를 따라 쓰며 익혀요.

다시 보기 8급 南 남녘 남   北 북녘 북

부수 亻(人)	총 9획	쓰는 순서 丿 亻 亻 亻 仁 佰 佰 便 便

便
편할 편
똥오줌 변

便	便	便
편할 편	편할 편	편할 편

사람[亻]이 불편한 것을 편리하게 고치는[更] 것을 나타내요. '편하다'를 뜻하고, '똥오줌'을 뜻하기도 해요.

부수 月	총 6획	쓰는 순서 一 ナ 才 有 有 有

有
있을 유

有	有	有
있을 유	있을 유	있을 유

손에 고기를 가지고 있는 것을 나타내요. '있다', '가지다'를 뜻해요.

2 한자어의 빨간색 글자에 알맞은 한자를 보기 에서 찾아 그 번호를 쓰세요.

훈·음
확인

보기

❶ 重   ❷ 少   ❸ 便   ❹ 有

불 편

이용하기에 편리하지 않음.

(   )

중 량

물건의 무거운 정도.

(   )

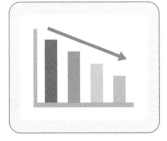

감 소

양이나 수가 줄어듦.

(   )

소 유

자기의 것으로 가짐.

(   )

실력 기르기

1 다음 한자의 훈(뜻)과 음(소리)을 찾아 선으로 이으세요.

(1) 重 •   • 적을 소

(2) 少 •   • 있을 유

(3) 便 •   • 무거울 중

(4) 有 •   • 편할 편 / 똥오줌 변

2 다음 밑줄 친 말에 해당하는 한자를 찾아 ○표 하세요.

(1) 적은 수는 소수   → (重 , 少 , 便 , 有)

(2) 몸의 무게는 체중   → (重 , 少 , 便 , 有)

(3) 이롭거나 도움이 될 만한 것은 유익   → (重 , 少 , 便 , 有)

(4) 몸이나 마음이 편하고 좋은 것은 편안 → (重 , 少 , 便 , 有)

3 다음 밑줄 친 말에 해당하는 한자를 보기에서 찾아 그 번호를 쓰세요.

보기

① 便   ② 有   ③ 少   ④ 重

(1) 무거운 짐을 나르느라 힘이 듭니다.   → (   )

(2) 창고에는 오래된 물건들이 가득 있습니다.   → (   )

(3) 전학을 온 지 얼마 되지 않아 친구가 적습니다. → (   )

4 다음 밑줄 친 한자어의 독음(읽는 소리)을 쓰세요.

(1) 막냇동생은 아직 나이가 어려서 <u>小便</u>을 가리지 못합니다.　　　(　　　　　)

(2) 아버지께서 저녁에 <u>重大</u> 발표를 하겠다고 말씀하셨습니다.　　　(　　　　　)

5 다음 한자의 진하게 표시한 획은 몇 번째 쓰는지 보기 에서 찾아 그 번호를 쓰세요.

보기

① 네 번째　　　② 다섯 번째　　　③ 여섯 번째

④ 일곱 번째　　　⑤ 여덟 번째

(1) 便 (　　　　)　　　(2) 重 (　　　　)

한자어 활용

6 다음 글에서 한자어의 독음(읽는 소리)을 쓰세요.

자전거는 **男女老少**(□□□□) 모두가 **便利**(□ 리)하게 이용할 수 있는 이동 수단이에요. 자동차 대신 자전거를 타면 건강에 도움이 돼요. 또, 자전거는 **有害**(□ 해) 물질을 내뿜지 않기 때문에 자전거를 타면 환경을 보호할 수 있어요.

정리하기

○ 다음 그림을 보고, 빈칸에 알맞은 한자를 보기 에서 찾아 쓰세요.

보기

動　直　登　植　立　全　出　入　重　少　便　有

❶ 꽃나무를 심어요[　　].

❷ 풍차의 날개가 움직여요[　　].

❸ 나무 그늘에서 편하게[　　] 쉬어요.

❹ 나무에 매달린 열매가 너무 적어요[　　].

❺ 곧게[　　] 뻗은 나무가 서[　　] 있어요.

❻ 무거운[　　] 자루를 메고 집 밖으로 나가요[　　].

❼ 언덕에 올라가면[　　] 마을이 온전하게[　　] 보여요.

❽ 사람이 있어서[　　] 두더지가 땅속으로 들어가요[　　].

[1~5] 다음 밑줄 친 漢字語(한자어)의 音(음: 소리)을 쓰세요.

> **보기**
>
> 漢字 ➡ 한자

1 우주 공간에는 **重力**이 없습니다. (   )

2 경찰차가 사고 현장에 **出動**했습니다. (   )

3 전학 간 친구에게 **便紙**를 보냈습니다. (   )

4 동생이 아파서 **登校**를 하지 못했습니다. (   )

5 잘못을 숨기지 않고 **正直**하게 말했습니다. (   )

[6~15] 다음 漢字(한자)의 訓(훈: 뜻)과 音(음: 소리)을 쓰세요.

> **보기**
>
> 字 ➡ 글자 자

6 入 (   )   7 出 (   )

8 有 (   )   9 直 (   )

10 植 (   )   11 少 (   )

12 動 (   )   13 立 (   )

14 全 (   )   15 便 (   )

[16~22] 다음 밑줄 친 漢字語(한자어)를 보기 에서 찾아 그 번호를 쓰세요.

보기

① 活動	② 出場	③ 入口	④ 少數
⑤ 立場	⑥ 直前	⑦ 安全	⑧ 有名

16 <u>입구</u>가 막혀서 들어갈 수 없습니다. ( )

17 기차가 떠나기 <u>직전</u>에 겨우 탔습니다. ( )

18 밤에 주로 <u>활동</u>을 하는 동물도 있습니다. ( )

19 <u>안전</u>을 위해서 구명조끼를 입어야 합니다. ( )

20 우리 마을은 단풍이 아름답기로 <u>유명</u>합니다. ( )

21 <u>소수</u>의 의견이라고 해서 무시하면 안 됩니다. ( )

22 다른 사람의 <u>입장</u>에서 생각해 보는 것도 중요합니다. ( )

[23~30] 다음 訓(훈: 뜻)과 音(음: 소리)에 맞는 漢字(한자)를 보기 에서 찾아 그 번호를 쓰세요.

보기

① 植	② 登	③ 重	④ 動	⑤ 有
⑥ 入	⑦ 直	⑧ 全	⑨ 便	⑩ 立

23 들 입 ( ) **24** 오를 등 ( )

25 곧을 직 ( ) **26** 심을 식 ( )

27 있을 유 ( ) **28** 온전 전 ( )

29 무거울 중 ( ) **30** 움직일 동 ( )

[31~32] 다음 漢字(한자)의 상대 또는 반대되는 漢字(한자)를 보기에서 찾아 그 번호를 쓰세요.

보기

① 便   ② 入   ③ 老

31 出 ↔ (   )   32 少 ↔ (   )

[33~36] 다음 뜻에 맞는 漢字語(한자어)를 보기에서 찾아 그 번호를 쓰세요.

보기

① 所有   ② 全校   ③ 小便   ④ 登場

33 사람의 오줌. (   )

34 한 학교의 전체. (   )

35 사람이 무대 등에 나타남. (   )

36 자기의 것으로 가지고 있음. (   )

[37~40] 다음 漢字(한자)의 진하게 표시한 획은 몇 번째 쓰는지 보기에서 찾아 그 번호를 쓰세요.

보기

① 첫 번째   ② 두 번째   ③ 세 번째   ④ 네 번째   ⑤ 다섯 번째

37 植 (   )   38 動 (   )

39 有 (   )   40 少 (   )

7급 바른 답

1일   6~9쪽

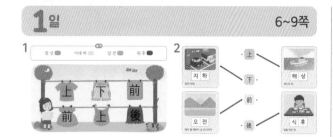

1 (1) 上, 윗 상 (2) 下, 아래 하 (3) 前, 앞 전 (4) 後, 뒤 후

2 (1) 上 (2) 後 (3) 前 (4) 下

3 (1) ② (2) ① (3) ④

4 (1) 하교 (2) 전년

5 (1) ② (2) ③   6 조상, 후손

2일   10~13쪽

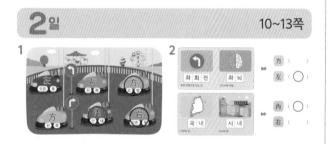

1 (1) 左, 왼 좌 (2) 右, 오른 우 (3) 方, 모 방 (4) 內, 안 내

2 (1) 方 (2) 左 (3) 內 (4) 右

3 (1) ④ (2) ② (3) ③

4 (1) 교내 (2) 사방

5 (1) ④ (2) ①   6 방법, 좌우

3일   14~17쪽

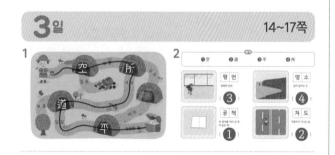

1 (1) 空, 빌 공 (2) 道, 길 도 (3) 平, 평평할 평 (4) 所, 바 소

2 (1) 所 (2) 道 (3) 空 (4) 平

3 (1) ② (2) ④ (3) ①

4 (1) 평생 (2) 공중

5 (1) ③ (2) ④   6 소용, 기도, 공기

4일   18~21쪽

❶ 上 ❷ 下 ❸ 內, 空 ❹ 方 ❺ 平, 道 ❻ 所 ❼ 前, 後 ❽ 左, 右

1 후년 2 하산 3 평일 4 전방 5 상공 6 왼 좌 7 모 방 8 길 도 9 안내 10 바 소 11 아래 하 12 뒤 후 13 빌 공 14 평평할 평 15 앞 전 16 ⑥ 17 ③ 18 ⑤ 19 ① 20 ⑦ 21 ② 22 ④ 23 ③ 24 ⑥ 25 ⑧ 26 ⑨ 27 ④ 28 ⑦ 29 ② 30 ⑤ 31 ② 32 ① 33 ④ 34 ① 35 ② 36 ③ 37 ③ 38 ② 39 ① 40 ④

5일   22~25쪽

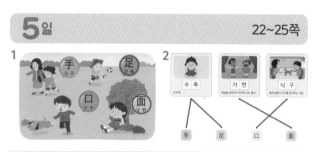

1 (1) 手, 손 수 (2) 足, 발 족 (3) 口, 입 구 (4) 面, 낯 면

2 (1) 手 (2) 面 (3) 口 (4) 足

3 (1) ② (2) ④ (3) ③

4 (1) 수면 (2) 인구

5 (1) ③ (2) ②   6 악수, 부족

6일   26~29쪽

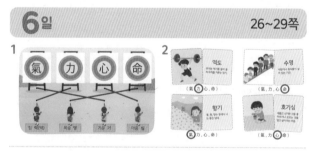

1 (1) 氣, 기운 기 (2) 力, 힘 력(역) (3) 心, 마음 심 (4) 命, 목숨 명

2 (1) 命 (2) 氣 (3) 力 (4) 心

3 (1) ③ (2) ④ (3) ②

4 (1) 생명 (2) 일기

5 (1) ⑤ (2) ②   6 중심, 중력

7일   30~33쪽

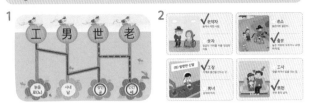

1 (1) 工, 장인 공 (2) 男, 사내 남 (3) 世, 인간 세 (4) 老, 늙을 로(노)

2 (1) 老 (2) 世 (3) 男 (4) 工

3 (1) ③ (2) ① (3) ④

4 (1) 장남 (2) 노부모

5 (1) ② (2) ④   **6** 세계, 인공위성

8일   34~37쪽

❶ 世 ❷ 手 ❸ 工, 足 ❹ 男, 老 ❺ 命, 氣 ❻ 力 ❼ 口 ❽ 心, 面

1 명중 **2** 남녀 **3** 목수 **4** 인구 **5** 방면 **6** 발족 **7** 늙을 로(노) **8** 힘 력(역) **9** 장인 공 **10** 손 수 **11** 인간 세 **12** 낯 면 **13** 기운 기 **14** 입 구 **15** 마음 심 **16** ③ **17** ⑤ **18** ② **19** ⑧ **20** ⑦ **21** ⑥ **22** ① **23** ⑦ **24** ① **25** ④ **26** ⑩ **27** ② **28** ⑥ **29** ③ **30** ⑧ **31** ② **32** ④ **33** ③ **34** ④ **35** ① **36** ② **37** ⑤ **38** ③ **39** ① **40** ②

9일   38~41쪽

1 (1) 子, 아들 자 (2) 孝, 효도 효 (3) 祖, 할아비 조 (4) 主, 임금 / 주인 주

2 (1) 子 (2) 祖 (3) 孝 (4) 主

3 (1) ③ (2) ② (3) ④

4 (1) 부자 (2) 조국

5 (1) ② (2) ③   **6** 효녀, 주요

10일   42~45쪽

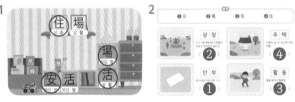

1 (1) 姓, 성 성 (2) 名, 이름 명 (3) 家, 집 가 (4) 夫, 지아비 부

2 (1) 夫 (2) 名 (3) 姓 (4) 家

3 (1) ④ (2) ① (3) ③

4 (1) 부인 (2) 명소

5 (1) ③ (2) ④   **6** 작가, 성명

11일   46~49쪽

1 (1) 安, 편안 안 (2) 場, 마당 장 (3) 活, 살 활 (4) 住, 살 주

2 (1) 場 (2) 住 (3) 安 (4) 活

3 (1) ② (2) ① (3) ③

4 (1) 주소 (2) 안심

5 (1) ② (2) ⑤   **6** 공장, 활용

12일   50~53쪽

❶ 姓 ❷ 名 ❸ 夫 ❹ 主 ❺ 祖, 子 ❻ 孝 ❼ 場, 安 ❽ 家, 住, 活

1 효도 **2** 장면 **3** 산소 **4** 조상 **5** 국가 **6** 아들 자 **7** 살 활 **8** 성 성 **9** 이름 명 **10** 할아비 조 **11** 편안 안 **12** 집 가 **13** 마당 장 **14** 지아비 부 **15** 임금 / 주인 주 **16** ④ **17** ⑤ **18** ① **19** ⑧ **20** ⑦ **21** ⑥ **22** ③ **23** ④ **24** ① **25** ⑦ **26** ③ **27** ② **28** ⑥ **29** ⑩ **30** ⑧ **31** ② **32** ⑤ **33** ① **34** ② **35** ④ **36** ③ **37** ④ **38** ③ **39** ⑤ **40** ②

13일 54~57쪽

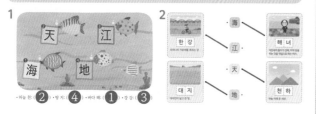

1 (1) 天, 하늘 천 (2) 地, 땅 지 (3) 海, 바다 해 (4) 江, 강 강

2 (1) 天 (2) 地 (3) 海 (4) 江

3 (1) ④ (2) ③ (3) ②

4 (1) 해외 (2) 강산

5 (1) ④ (2) ③   6 천문대, 토지

14일 58~61쪽

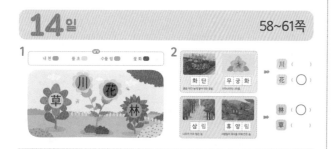

1 (1) 川, 내 천 (2) 草, 풀 초 (3) 林, 수풀 림(임) (4) 花, 꽃 화

2 (1) 林 (2) 川 (3) 草 (4) 花

3 (1) ③ (2) ② (3) ①

4 (1) 화초 (2) 산천

5 (1) ② (2) ④   6 밀림, 초식

15일 62~65쪽

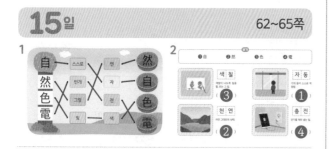

1 (1) 自, 스스로 자 (2) 然, 그럴 연 (3) 色, 빛 색 (4) 電, 번개 전

2 (1) 色 (2) 然 (3) 自 (4) 電

3 (1) ② (2) ③ (3) ④

4 (1) 자백 (2) 전기

5 (1) ③ (2) ①   6 자연, 채색

16일 66~69쪽

❶ 林 ❷ 草, 花 ❸ 海 ❹ 川, 江 ❺ 天, 電 ❻ 色 ❼ 地 ❽ 自, 然

1 평지 2 생화 3 천연 4 산천 5 전자 6 바다 해 7 강 강 8 풀 초 9 수풀 림(임) 10 빛 색 11 스스로 자 12 하늘 천 13 꽃 화 14 그럴 연 15 내 천 16 ④ 17 ③ 18 ⑥ 19 ⑧ 20 ② 21 ① 22 ⑦ 23 ① 24 ⑦ 25 ③ 26 ⑤ 27 ② 28 ⑩ 29 ⑧ 30 ⑥ 31 ① 32 ① 33 ② 34 ① 35 ④ 36 ③ 37 ③ 38 ① 39 ④ 40 ②

17일 70~73쪽

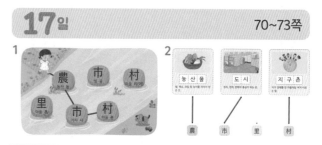

1 (1) 農, 농사 농 (2) 市, 저자 시 (3) 里, 마을 리(이) (4) 村, 마을 촌

2 (1) 市 (2) 村 (3) 農 (4) 里

3 (1) ③ (2) ① (3) ②

4 (1) 농장 (2) 시민

5 (1) ③ (2) ②   6 이정표, 농촌

18일 74~77쪽

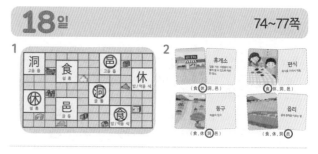

1 (1) 食, 밥 / 먹을 식 (2) 休, 쉴 휴 (3) 洞, 골 동 / 밝을 통 (4) 邑, 고을 읍

2 (1) 食 (2) 休 (3) 邑 (4) 洞

3 (1) ① (2) ③ (3) ②

4 (1) 휴일 (2) 읍내

5 (1) ③ (2) ④   6 동굴, 음식

19일 78~81쪽

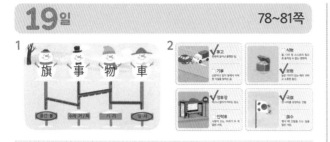

1 (1) 事, 일 사 (2) 物, 물건 물 (3) 車, 수레 거 / 차 (4) 旗, 기 기

2 (1) 物 (2) 旗 (3) 事 (4) 車

3 (1) ② (2) ① (3) ④

4 (1) 차도 (2) 인사

5 (1) ④ (2) ②   6 사물, 태극기

20일 82~85쪽

❶ 休 ❷ 食 ❸ 旗 ❹ 邑 ❺ 農 ❻ 車, 物 ❼ 里, 村, 洞 ❽ 市, 事

1 시외 2 공사 3 농촌 4 해물 5 하차 6 마을 리(이) 7 쉴 휴 8 밥 / 먹을 식 9 마을 촌 10 골 동 / 밝을 통 11 고을 읍 12 기 기 13 수레 거 / 차 14 물건 물 15 저자 시 16 ⑥ 17 ⑤ 18 ⑦ 19 ⑧ 20 ② 21 ③ 22 ④ 23 ① 24 ⑥ 25 ⑤ 26 ⑩ 27 ③ 28 ⑧ 29 ⑦ 30 ④ 31 ③ 32 ④ 33 ⑤ 34 ② 35 ① 36 ③ 37 ③ 38 ① 39 ④ 40 ②

21일 86~89쪽

1 (1) 午, 낮 오 (2) 夕, 저녁 석 (3) 每, 매양 매 (4) 來, 올 래(내)

2 (1) 午 (2) 夕 (3) 每 (4) 來

3 (1) ③ (2) ④ (3) ①

4 (1) 매년 (2) 오전

5 (1) ④ (2) ③   6 추석, 유래

22일 90~93쪽

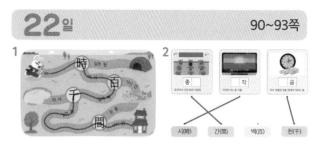

1 (1) 時, 때 시 (2) 間, 사이 간 (3) 百, 일백 백 (4) 千, 일천 천

2 (1) 千 (2) 時 (3) 百 (4) 間

3 (1) ② (2) ④ (3) ③

4 (1) 시간 (2) 백성

5 (1) ② (2) ⑤   6 수천, 동시

23일 94~97쪽

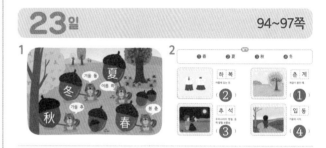

1 (1) 春, 봄 춘 (2) 夏, 여름 하 (3) 秋, 가을 추 (4) 冬, 겨울 동

2 (1) 夏 (2) 冬 (3) 春 (4) 秋

3 (1) ③ (2) ④ (3) ②

4 (1) 춘하추동 (2) 청춘

5 (1) ③ (2) ②   6 동지, 하지

24일 98~101쪽

❶ 每 ❷ 時 ❸ 間 ❹ 春, 來 ❺ 夏, 午 ❻ 冬, 夕 ❼ 千 ❽ 秋, 百

1 추석 2 춘추 3 내후년 4 산간 5 백일 6 낮 오 7 매양 매 8 일천 천 9 저녁 석 10 여름 하 11 겨울 동 12 올 래(내) 13 사이 간 14 일백 백 15 가을 추 16 ⑦ 17 ⑧ 18 ③ 19 ① 20 ⑤ 21 ② 22 ⑥ 23 ② 24 ⑩ 25 ⑥ 26 ④ 27 ⑤ 28 ⑧ 29 ⑦ 30 ⑨ 31 ② 32 ① 33 ③ 34 ④ 35 ① 36 ② 37 ② 38 ③ 39 ⑤ 40 ①

25일 102~105쪽

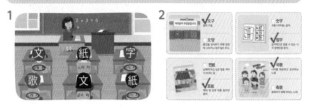

1 (1) 文, 글월 문 (2) 字, 글자 자 (3) 紙, 종이 지 (4) 歌, 노래 가

2 (1) 紙 (2) 歌 (3) 文 (4) 字

3 (1) ④ (2) ② (3) ③

4 (1) 교가 (2) 휴지

5 (1) ① (2) ③ 　　　　6 문자, 문명

26일 106~109쪽

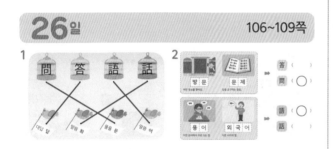

1 (1) 問, 물을 문 (2) 答, 대답 답 (3) 語, 말씀 어 (4) 話, 말씀 화

2 (1) 答 (2) 話 (3) 問 (4) 語

3 (1) ① (2) ② (3) ③

4 (1) 문안 (2) 답지

5 (1) ④ (2) ② 　　　　6 수화, 언어

27일 110~113쪽

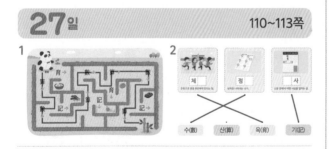

1 (1) 數, 셈 수 (2) 算, 셈 산 (3) 育, 기를 육 (4) 記, 기록할 기

2 (1) 數 (2) 算 (3) 記 (4) 育

3 (1) ③ (2) ② (3) ①

4 (1) 교육 (2) 일기

5 (1) ② (2) ③ 　　　　6 수학자, 기호

28일 114~117쪽

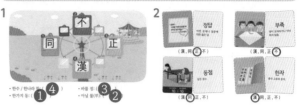

1 (1) 漢, 한수 / 한나라 한 (2) 同, 한가지 동 (3) 正, 바를 정 (4) 不, 아닐 불(부)

2 (1) 漢 (2) 正 (3) 不 (4) 同

3 (1) ③ (2) ④ (3) ①

4 (1) 동일 (2) 정면

5 (1) ④ (2) ③ 　　　　6 한강, 불가능

29일 118~121쪽

❶ 歌 ❷ 育 ❸ 不 ❹ 問, 答 ❺ 記, 文 ❻ 正, 紙, 字 ❼ 同, 數, 算 ❽ 漢, 語, 話

1 수학 2 교육 3 문답 4 정문 5 명문 6 말씀 화 7 셈 산 8 물을 문 9 말씀 어 10 노래 가 11 기록할 기 12 글자 자 13 한가지 동 14 아닐 불(부) 15 한수 / 한나라 한 16 ⑧ 17 ⑦ 18 ⑥ 19 ⑤ 20 ③ 21 ① 22 ④ 23 ④ 24 ③ 25 ⑩ 26 ① 27 ⑤ 28 ⑦ 29 ⑧ 30 ⑨ 31 ③ 32 ⑤ 33 ② 34 ④ 35 ③ 36 ① 37 ① 38 ⑤ 39 ④ 40 ②

30일 122~125쪽

1 (1) 動, 움직일 동 (2) 直, 곧을 직 (3) 登, 오를 등 (4) 植, 심을 식

2 (1) 登 (2) 動 (3) 直 (4) 植

3 (1) ④ (2) ③ (3) ①

4 (1) 등장 (2) 자동

5 (1) ② (2) ④ 　　　　6 식물, 수직

31일 126~129쪽

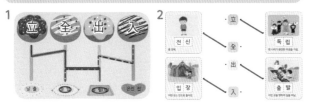

1 (1) 立, 설 립(입) (2) 全, 온전 전 (3) 出, 날 출 (4) 入, 들 입

2 (1) 全 (2) 出 (3) 入 (4) 立

3 (1) ③ (2) ④ (3) ②

4 (1) 출입 (2) 직립

5 (1) ⑤ (2) ①　　　　　　　6 전부, 수입

32일 130~133쪽

1 (1) 重, 무거울 중 (2) 少, 적을 소 (3) 便, 편할 편 / 똥오줌 변 (4) 有, 있을 유

2 (1) 少 (2) 重 (3) 有 (4) 便

3 (1) ④ (2) ② (3) ③

4 (1) 소변 (2) 중대

5 (1) ⑤ (2) ④　　　　　6 남녀노소, 편리, 유해

33일 134~137쪽

❶ 植 ❷ 動 ❸ 便 ❹ 少 ❺ 直, 立 ❻ 重, 出 ❼ 登, 全 ❽ 有, 入

1 중력 2 출동 3 편지 4 등교 5 정직 6 들 입 7 날 출 8 있을 유 9 곧을 직 10 심을 식 11 적을 소 12 움직일 동 13 설 립(입) 14 온전 전 15 편할 편 / 똥오줌 변 16 ③ 17 ⑥ 18 ① 19 ⑦ 20 ⑧ 21 ④ 22 ⑤ 23 ⑥ 24 ② 25 ⑦ 26 ① 27 ⑤ 28 ⑧ 29 ③ 30 ④ 31 ② 32 ③ 33 ③ 34 ② 35 ④ 36 ① 37 ⑤ 38 ④ 39 ② 40 ①

7급Ⅱ 문제지 1회 146~148쪽

1 전국 2 식사 3 역도 4 생활 5 산간 6 북상 7 오후 8 대기 9 중동 10 동물 11 사방 12 전차 13 수평 14 군인 15 대가 16 기사 17 교내 18 농민 19 정월 20 전년 21 서해 22 자백 23 다섯 오 24 빌 공 25 성 성 26 형 형 27 인간 세 28 집 실 29 물건 물 30 말씀 화 31 아래 하 32 마당 장 33 편안 안 34 저자 시 35 때 시 36 마디 촌 37 푸를 청 38 이름 명 39 사내 남 40 배울 학 41 장인 공 42 강 강 43 ③ 44 ② 45 ② 46 ⑤ 47 ⑩ 48 ⑥ 49 ⑧ 50 ③ 51 ④ 52 ⑦ 53 ⑨ 54 ① 55 ① 56 ④ 57 ④ 58 ② 59 ③ 60 ④

7급 문제지 2회 149~151쪽

1 입춘 2 형부 3 공장 4 지하 5 휴지 6 제자 7 선조 8 추석 9 자동 10 기력 11 내년 12 산소 13 명수 14 백만 15 주민 16 북한 17 화초 18 기색 19 식구 20 가수 21 불평 22 노소 23 출토 24 방편 25 공연 26 소심 27 국민 28 안전 29 내면 30 문물 31 촌수 32 등장 33 ② 34 ③ 35 기기 36 날 생 37 마을 리(이) 38 목숨 명 39 여름 하 40 마을 촌 41 무거울 중 42 기를 육 43 셈 산 44 하늘 천 45 가운데 중 46 곧을 직 47 장인 공 48 저자 시 49 매양 매 50 길 도 51 동녘 동 52 어미 모 53 골 동 / 밝을 통 54 기록할 기 55 ⑧ 56 ⑦ 57 ① 58 ⑤ 59 ④ 60 ⑥ 61 ② 62 ⑩ 63 ⑨ 64 ③ 65 ② 66 ④ 67 ④ 68 ② 69 ② 70 ⑦

바른답 143

7급 문제지 3회　　　　152~154쪽

1 식전　2 휴학　3 교육　4 문안　5 읍내　6 변소
7 천연　8 명중　9 중심　10 동민　11 부녀　12 군가
13 소유　14 소년　15 내일　16 가구　17 모교　18 입동　19 국어　20 출력　21 해물　22 산천　23 외면　24 칠석　25 지면　26 중대　27 전력　28 산촌　29 활자　30 기수　31 남자　32 백성　33 ②　34 ③　35 한가지 동　36 수레 거 / 차　37 할아비 조　38 가을 추　39 꽃 화　40 셈 산　41 수풀 림(임)　42 마을 리(이)　43 지아비 부　44 빛 색　45 살 주　46 여름 하　47 길 도　48 일 사　49 때 시　50 임금 / 주인 주　51 강 강　52 여섯 륙(육)　53 쇠 금 / 성 김　54 한국 / 나라 한　55 ③　56 ⑦　57 ⑥　58 ⑤　59 ⑩　60 ④　61 ①　62 ②　63 ⑨　64 ⑧　65 ③　66 ②　67 ③　68 ①　69 ④　70 ⑥

이제
한자능력검정시험에
도전해 보아요.

한자능력검정시험
대비 모의 시험

한자능력검정시험 대비 7급Ⅱ 문제지 1회

7級Ⅱ

시험 문항: 60문항 / 시험 시간: 50분 / 시험 일자: 20○○. ○○. ○○.

* 성명을 쓰고 문제지와 답안지는 함께 제출하세요.

성명 (　　　　　　　　　)　　　수험 번호 □□□-□□-□□□□

[1~22] 다음 밑줄 친 漢字語(한자어)의 音(음: 소리)을 쓰세요.

보기	漢字 ➡ 한자

[1] 오늘은 <u>全國</u>에 비가 내렸습니다.

[2] 저녁 <u>食事</u>로 샌드위치를 먹었습니다.

[3] <u>力道</u> 선수가 역기를 번쩍 들었습니다.

[4] 나라마다 <u>生活</u> 방식이 서로 다릅니다.

[5] 강원도 <u>山間</u> 지역은 눈이 많이 옵니다.

[6] 태풍이 빠른 속도로 <u>北上</u>하고 있습니다.

[7] 우편물은 내일 <u>午後</u>에 도착할 예정입니다.

[8] 도시의 <u>大氣</u> 오염이 심각해지고 있습니다.

[9] <u>中東</u> 지역에서는 석유가 많이 생산됩니다.

[10] 많은 야생 <u>動物</u>이 멸종 위기에 처해 있습니다.

[11] 성당의 종소리가 <u>四方</u>으로 울려 퍼졌습니다.

[12] 옛날에는 서울 중심지에 <u>電車</u>가 다녔습니다.

[13] 벽에 액자를 걸 때에는 <u>水平</u>을 맞춰야 합니다.

[14] <u>軍人</u>이 총을 들고 부대 앞을 지키고 있습니다.

[15] 세계적인 <u>大家</u>의 작품들이 전시되어 있습니다.

[16] 오늘 신문에 올림픽에 대한 <u>記事</u>가 실렸습니다.

[17] <u>校內</u> 합창 대회에서 우리 반이 일등을 했습니다.

[18] 가뭄이 계속돼 <u>農民</u>들의 피해가 커지고 있습니다.

[19] <u>正月</u> 대보름에는 부럼을 깨물고 오곡밥을 먹습니다.

[20] 열심히 공부해서 <u>前年</u>보다 성적이 많이 올랐습니다.

[21] <u>西海</u>는 바닷물에 진흙이 섞여 있어서 황색을 띱니다.

[22] 그는 결국 자신이 보석을 훔쳤다고 <u>自白</u>을 했습니다.

[23~42] 다음 漢字(한자)의 訓(훈: 뜻)과 音(음: 소리)을 쓰세요.

보기	漢 → 한나라 한

[23] 五

[24] 空

[25] 姓

[26] 兄

[27] 世

[28] 室

[29] 物

[30] 話

[31] 下

[32] 場

[33] 安

[34] 市

[35] 時

[36] 寸

[37] 靑

[38] 名

[39] 男

[40] 學

[41] 工

[42] 江

[43~44] 다음 밑줄 친 漢字語(한자어)를 〈보기〉에서 찾아 그 번호를 쓰세요.

보기	① 平年　　② 每年 ③ 正答　　④ 正午

[43] 수수께끼의 <u>정답</u>을 맞히지 못했습니다.

[44] 우리 마을에서는 <u>매년</u> 봄꽃 축제가 열립니다.

[45~54] 다음 訓(훈: 뜻)과 音(음: 소리)에 맞는 漢字(한자)를 〈보기〉에서 찾아 그 번호를 쓰세요.

보기	① 不　② 午　③ 全　④ 先 ⑤ 活　⑥ 外　⑦ 弟　⑧ 父 ⑨ 敎　⑩ 長

[45] 낮 오

[46] 살 활

[47] 긴 장

[48] 바깥 외

[49] 아비 부

[50] 온전 전

[51] 먼저 선

[52] 아우 제

[53] 가르칠 교

[54] 아닐 불(부)

[55~56] 다음 漢字(한자)의 상대(또는 반대)되는 漢字(한자)를 〈보기〉에서 찾아 그 번호를 쓰세요.

보기	① 左	② 先
	③ 下	④ 足

[55] (   ) ↔ 右

[56] 手 ↔ (   )

[57~58] 다음 뜻에 맞는 漢字語(한자어)를 〈보기〉에서 찾아 그 번호를 쓰세요.

보기	① 王子	② 孝子
	③ 直前	④ 直立

[57] 꼿꼿하게 바로 섬.

[58] 부모를 잘 모시어 받드는 아들.

[59~60] 다음 漢字(한자)의 진하게 표시한 획은 몇 번째 쓰는지 〈보기〉에서 찾아 그 번호를 쓰세요.

보기	① 첫 번째	② 두 번째
	③ 세 번째	④ 네 번째
	⑤ 다섯 번째	⑥ 여섯 번째

[59] 世

[60] 年

♣ 수고하셨습니다.

〈끝〉

한자능력검정시험 대비 7급 문제지 2회

7級

시험 문항: 70문항 / 시험 시간: 50분 / 시험 일자: 20○○. ○○. ○○.

* 성명을 쓰고 문제지와 답안지는 함께 제출하세요.

성명 (   )   수험 번호 □□□-□□-□□□□

[1~32] 다음 밑줄 친 漢字語의 音(음: 소리)을 쓰세요.

보기	漢字 ➡ 한자

[1] <u>立春</u>은 봄이 시작되는 날입니다.

[2] 언니의 남편을 '<u>兄夫</u>'라고 부릅니다.

[3] 기업에서 <u>工場</u>을 새로 짓고 있습니다.

[4] <u>地下</u> 주차장에 차를 세워 두었습니다.

[5] 코피가 나서 <u>休紙</u>로 코를 막았습니다.

[6] 그 선생님은 <u>弟子</u>들을 무척 아끼십니다.

[7] 우리는 <u>先祖</u>들의 지혜를 본받아야 합니다.

[8] 이번 <u>秋夕</u>에는 송편을 직접 만들었습니다.

[9] 사람이 다가가면 문이 <u>自動</u>으로 열립니다.

[10] 큰 수술을 해서 <u>氣力</u>이 많이 떨어졌습니다.

[11] <u>來年</u> 봄에 다른 도시로 이사를 갈 예정입니다.

[12] 가족들과 함께 할머니 <u>山所</u>에 다녀왔습니다.

[13] 열심히 연습해서 사격의 <u>名手</u>가 되었습니다.

[14] 이 영화는 <u>百萬</u> 명이 넘는 사람이 보았습니다.

[15] 아파트 <u>住民</u>들이 모여 봉사 활동을 했습니다.

[16] <u>北韓</u>에서는 초등학교를 소학교라고 부릅니다.

[17] 할아버지는 온실에서 여러 <u>花草</u>를 기르십니다.

[18] 동생의 얼굴에는 당황한 <u>氣色</u>이 가득했습니다.

[19] 오랜만에 온 <u>食口</u>가 모여서 저녁을 먹었습니다.

[20] 내가 좋아하는 <u>歌手</u>가 텔레비전에 나왔습니다.

[21] 학생들은 숙제가 많다며 <u>不平</u>을 늘어놓았습니다.

[22] 옥수수는 남녀<u>老少</u> 누구나 좋아하는 간식입니다.

[23] 공사 현장에서 고려 시대 유물이 <u>出土</u>되 었습니다.

[24] 졸음을 이겨 내기 위한 <u>方便</u>으로 세수를 했습니다.

[25] 특별한 이유 없이 <u>空然</u>히 짜증이 날 때가 있습니다.

[26] 나는 <u>小心</u>해서 사람들 앞에 나서는 것이 힘듭니다.

[27] 월드컵 축구 경기에 온 <u>國民</u>의 관심이 쏠 렸습니다.

[28] 자전거를 탈 때에는 <u>安全</u> 수칙을 잘 지켜 야 합니다.

[29] <u>內面</u>의 아름다움을 기르기 위해 노력해 야 합니다.

[30] 조선 시대 때 서양의 <u>文物</u>이 들어오기 시 작했습니다.

[31] 요즘은 <u>寸數</u>가 가까운 친척도 자주 만나 기 어렵습니다.

[32] 연주자가 <u>登場</u>하자 관객들이 한순간에 조용해졌습니다.

[33~34] 다음 밑줄 친 漢字語를 〈보기〉에서 찾 아 그 번호를 쓰세요.

보기	① 外食	② 主食
	③ 山林	④ 草木

[33] 우리나라의 <u>주식</u>은 쌀입니다.

[34] 우리나라는 곳곳에 울창한 <u>산림</u>이 있습 니다.

[35~54] 다음 漢字의 訓(훈: 뜻)과 音(음: 소리)을 쓰세요.

보기	字 → 글자 자

[35] 旗

[36] 生

[37] 里

[38] 命

[39] 夏

[40] 村

[41] 重

[42] 育

[43] 算

[44] 天

[45] 中

[46] 直

[47] 工

[48] 市

[49] 每

[50] 道

[51] 東

[52] 母

[53] 洞

[54] 記

[55~64] 다음 訓(훈: 뜻)과 音(음: 소리)에 맞는 漢字를 〈보기〉에서 찾아 그 번호를 쓰세요.

보기	① 海	② 問	③ 邑
	④ 千	⑤ 有	⑥ 百
	⑦ 川	⑧ 白	⑨ 語
	⑩ 電		

[55] 흰 백

[56] 내 천

[57] 바다 해

[58] 있을 유

[59] 일천 천

[60] 일백 백

[61] 물을 문

[62] 번개 전

[63] 말씀 어

[64] 고을 읍

[65~66] 다음 漢字의 상대(또는 반대)되는 漢字를 〈보기〉에서 찾아 그 번호를 쓰세요.

보기	① 秋	② 夏
	③ 動	④ 入

[65] (   ) ↔ 冬

[66] 出 ↔ (   )

[67~68] 다음 뜻에 맞는 漢字語를 〈보기〉에서 찾아 그 번호를 쓰세요.

보기	① 土木	② 同名
	③ 有名	④ 植木

[67] 나무를 심음.

[68] 이름이 같음.

[69~70] 다음 漢字의 진하게 표시한 획은 몇 번째 쓰는지 〈보기〉에서 찾아 그 번호를 쓰세요.

보기	① 첫 번째	② 두 번째
	③ 세 번째	④ 네 번째
	⑤ 다섯 번째	⑥ 여섯 번째
	⑦ 일곱 번째	⑧ 여덟 번째
	⑨ 아홉 번째	⑩ 열 번째
	⑪ 열한 번째	⑫ 열두 번째

[69]

[70]

♣ 수고하셨습니다.

〈끝〉

7級

시험 문항: 70문항 / 시험 시간: 50분 / 시험 일자: 20○○. ○○. ○○.

＊성명을 쓰고 문제지와 답안지는 함께 제출하세요.

성명 (   ) 수험 번호 ☐☐☐-☐☐-☐☐☐☐

[1~32] 다음 밑줄 친 漢字語의 音(음: 소리)을 쓰세요.

보기	漢字 → 한자

[1] <u>食前</u>에 먹어야 하는 약도 있습니다.

[2] 형은 <u>休學</u>을 하고 군대를 갔습니다.

[3] 학교에서 컴퓨터 <u>敎育</u>을 받았습니다.

[4] 할아버지께 <u>問安</u> 전화를 드렸습니다.

[5] <u>邑內</u>에 나가려면 버스를 타야 합니다.

[6] 옛날에는 집 밖에 <u>便所</u>가 있었습니다.

[7] 어머니는 <u>天然</u> 조미료만 사용하십니다.

[8] 선수가 쏜 화살이 과녁에 <u>命中</u>했습니다.

[9] 조선 시대는 남성 <u>中心</u>의 사회였습니다.

[10] 공원에서 <u>洞民</u> 체육 대회가 열렸습니다.

[11] 우리 집은 <u>父女</u> 사이가 무척 좋습니다.

[12] 군인들이 <u>軍歌</u>를 부르며 행진하였습니다.

[13] 부모님은 작은 농장을 <u>所有</u>하고 계십니다.

[14] 소방대원이 물에 빠진 <u>少年</u>을 구했습니다.

[15] <u>來日</u>은 현장 체험 학습을 가는 날입니다.

[16] 농사를 짓는 <u>家口</u>가 점점 줄고 있습니다.

[17] 졸업한 지 오 년 만에 <u>母校</u>를 방문했습니다.

[18] <u>立冬</u>은 일 년 중 겨울이 시작되는 날입니다.

[19] <u>國語</u> 시간에 문장 부호에 대해 배웠습니다.

[20] 문서를 작성한 뒤 프린터로 <u>出力</u>하였습니다.

[21] 여러 가지 <u>海物</u>을 넣은 칼국수를 먹었습니다.

[22] 우리 마을은 <u>山川</u>이 아름답기로 유명합니다.

[23] 우리는 어제 싸웠기 때문에 서로 **外面**했습니다.

[24] <u>七夕</u>은 전설 속 견우와 직녀가 만나는 날입니다.

[25] 우리 학교 사진이 신문 <u>紙面</u>에 크게 실렸습니다.

[26] <u>重大</u>한 결정을 해야 해서 가족회의를 열었습니다.

[27] <u>電力</u>이 부족하므로 에어컨 사용을 줄여야 합니다.

[28] 할머니는 강원도의 외딴 <u>山村</u>에서 태어나셨습니다.

[29] 금속 <u>活字</u>의 발명은 인쇄술의 발달을 가져왔습니다.

[30] 우리나라 선수단이 <u>旗手</u>를 앞세우고 입장했습니다.

[31] 옛날에는 <u>男子</u>들만 선거를 하는 나라가 많았습니다.

[32] 글을 모르는 <u>百姓</u>들은 억울한 일을 많이 당했습니다.

[33~34] 다음 밑줄 친 漢字語를 〈보기〉에서 찾아 그 번호를 쓰세요.

보기	① 自國	② 草食
	③ 入國	④ 韓食

[33] 소, 사슴, 토끼 등은 <u>초식</u> 동물입니다.

[34] 우리나라 선수들이 올림픽 개최지에 <u>입국</u>했습니다.

[35~54] 다음 漢字의 訓(훈: 뜻)과 음(음: 소리)을 쓰세요.

보기	字 → 글자 자

[35] 同

[36] 車

[37] 祖

[38] 秋

[39] 花

[40] 算

[41] 林

[42] 里

[43] 夫

[44] 色

[45] 住

[46] 夏

[47] 道

[48] 事

[49] 時

[50] 主

[51] 江

[52] 六

[53] 金

[54] 韓

[55~64] 다음 訓(훈: 뜻)과 音(음: 소리)에 맞는 漢字를 〈보기〉에서 찾아 그 번호를 쓰세요.

보기	① 植	② 文	③ 數
	④ 正	⑤ 春	⑥ 休
	⑦ 水	⑧ 西	⑨ 登
	⑩ 話		

[55] 셈 수

[56] 물 수

[57] 쉴 휴

[58] 봄 춘

[59] 말씀 화

[60] 바를 정

[61] 심을 식

[62] 글월 문

[63] 오를 등

[64] 서녘 서

[65~66] 다음 漢字의 상대(또는 반대)되는 漢字를 〈보기〉에서 찾아 그 번호를 쓰세요.

보기	① 語	② 少
	③ 問	④ 祖

[65] (　　　　　　) ↔ 答

[66] 老 ↔ (　　　　　　)

[67~68] 다음 뜻에 맞는 漢字語를 〈보기〉에서 찾아 그 번호를 쓰세요.

보기	① 地名	② 地面
	③ 人命	④ 人間

[67] 사람의 목숨.

[68] 마을이나 지방, 지역 등의 이름.

[69~70] 다음 漢字의 진하게 표시한 획은 몇 번째 쓰는지 〈보기〉에서 찾아 그 번호를 쓰세요.

보기	① 첫 번째	② 두 번째
	③ 세 번째	④ 네 번째
	⑤ 다섯 번째	⑥ 여섯 번째
	⑦ 일곱 번째	⑧ 여덟 번째
	⑨ 아홉 번째	

[69]

[70]

♣ 수고하셨습니다.

〈끝〉

수험 번호: □□□-□□-□□□□　　성명: □□□□□

생년월일: □□□□□□　　* 유성 사인펜, 붉은색 필기구 사용 불가

* 답안지는 컴퓨터로 처리되므로 구기거나 더럽히지 마시고, 정답 칸 안에만 쓰십시오.
  글씨가 채점란으로 들어오면 오답 처리가 됩니다.

한자능력검정시험 대비 7급Ⅱ 문제지 **1회** 답안지(1)

번호	정답	채점란	번호	정답	채점란	번호	정답	채점란
1			10			19		
2			11			20		
3			12			21		
4			13			22		
5			14			23		
6			15			24		
7			16			25		
8			17			26		
9			18			27		

감독위원	채점위원(1)		※ 뒷면으로 이어짐.
(서명)	(득점)	(서명)	

답안란		채점란	답안란		채점란	답안란		채점란
번호	정답		번호	정답		번호	정답	
28			39			51		
29			40			52		
30			41			53		
31			42			54		
32			43			55		
33			45			56		
34			46			57		
35			47			58		
36			48			59		
37			49			60		
38			50					

수험 번호:□□□-□□-□□□□ 성명:□□□□□

생년월일:□□□□□□ *유성 사인펜, 붉은색 필기구 사용 불가

* 답안지는 컴퓨터로 처리되므로 구기거나 더럽히지 마시고, 정답 칸 안에만 쓰십시오.
  글씨가 채점란으로 들어오면 오답 처리가 됩니다.

한자능력검정시험 대비 7급 문제지 2회 답안지(1)

답안란		채점란	답안란		채점란	답안란		채점란
번호	정답		번호	정답		번호	정답	
1			12			23		
2			13			24		
3			14			25		
4			15			26		
5			16			27		
6			17			28		
7			18			29		
8			19			30		
9			20			31		
10			21			32		
11			22			33		

감독위원	채점위원(1)		
(서명)	(득점)	(서명)	※ 뒷면으로 이어짐.

답안란		채점란	답안란		채점란	답안란		채점란
번호	정답		번호	정답		번호	정답	
34			47			60		
35			48			61		
36			49			62		
37			50			63		
38			51			64		
39			52			65		
40			53			66		
41			54			67		
42			55			68		
43			56			69		
44			57			70		
45			58					
46			59					

한자능력검정시험 대비 7급 문제지 **3회** 답안지(1)

답안란		채점란	답안란		채점란	답안란		채점란
번호	정답		번호	정답		번호	정답	
1			12			23		
2			13			24		
3			14			25		
4			15			26		
5			16			27		
6			17			28		
7			18			29		
8			19			30		
9			20			31		
10			21			32		
11			22			33		

감독위원	채점위원(1)		
(서명)	(득점)	(서명)	※ 뒷면으로 이어짐.

답안란		채점란	답안란		채점란	답안란		채점란
번호	정답		번호	정답		번호	정답	
34			47			60		
35			48			61		
36			49			62		
37			50			63		
38			51			64		
39			52			65		
40			53			66		
41			54			67		
42			55			68		
43			56			69		
44			57			70		
45			58					
46			59					

퍼즐 학습으로 재미있게 초등 어휘력을 키우자!

퍼즐런

하루 4개씩 25일 완성!

어휘력을 키워야 문해력이 자랍니다.
문해력은 국어는 물론 모든 공부의 기본이 됩니다.

퍼즐런 시리즈로
재미와 학습 효과 두 마리 토끼를 잡으며,
문해력과 함께 공부의 기본을
확실하게 다져 놓으세요.

Fun! Puzzle! Learn!

재미있게!   퍼즐로!   배워요!

맞춤법

초등학생이 자주 틀리는
헷갈리는 맞춤법 100

속담

초등 교과 학습에 꼭 필요한
빈출 속담 100

사자성어

생활에서 자주 접하는
초등 필수 사자성어 100

미래엔 초등 도서 목록

초코

교과서 달달 쓰기 · 교과서 달달 풀기
1~2학년 국어 · 수학 교과 학습력을 향상시키고
초등 코어를 탄탄하게 세우는 기본 학습서
[4책] 국어 1~2학년 학기별
[4책] 수학 1~2학년 학기별

미래엔 교과서 길잡이, 초코
초등 공부의 핵심[CORE]를 탄탄하게 해 주는
슬림 & 심플한 교과 필수 학습서
[8책] 국어 3~6학년 학기별, [8책] 수학 3~6학년 학기별
[8책] 사회 3~6학년 학기별, [8책] 과학 3~6학년 학기별

전과목 단원평가
빠르게 단원 핵심을 정리하고, 수준별 문제로 실전력을 키우는
교과 평가 대비 학습서
[8책] 3~6학년 학기별

문제 해결의 길잡이

원리 8가지 문제 해결 전략으로 문장제와 서술형 문제 정복
[12책] 1~6학년 학기별

심화 문장제 유형 정복으로 초등 수학 최고 수준에 도전
[6책] 1~6학년 학년별

초등 필수 어휘를 퍼즐로 재미있게 익히는 학습서
[3책] 사자성어, 속담, 맞춤법

하루한장 예비 초등

한글완성
초등학교 입학 전 한글 읽기·쓰기 동시에 끝내기
[3책] 기본 자모음, 받침, 복잡한 자모음

예비초등
기본 학습 능력을 향상하며 초등학교 입학을 준비하기
[2책] 국어, 수학

하루한장 독해

독해 시작편
초등학교 입학 전 기본 문해력 익히기 30일 완성
[2책] 문장으로 시작하기, 짧은 글 독해하기

어휘
문해력의 기초를 다지는 초등 필수 어휘 학습서
[6책] 1~6학년 단계별

독해
국어 교과서와 연계하여 문해력의 기초를 다지는 독해 기본서
[6책] 1~6학년 단계별

독해+플러스
본격적인 독해 훈련으로 문해력을 향상시키는 독해 실전서
[6책] 1~6학년 단계별

비문학 독해 (사회편·과학편)
비문학 독해로 배경지식을 확장하고 문해력을 완성시키는
독해 심화서
[사회편 6책, 과학편 6책] 1~6학년 단계별

하루한장 쏙셈

쏙셈 시작편
초등학교 입학 전 연산 시작하기
[2책] 수 세기, 셈하기

쏙셈
교과서에 따른 수·연산·도형·측정까지 계산력 향상하기
[12책] 1~6학년 학기별

쏙셈+플러스
문장제 문제부터 창의·사고력 문제까지 수학 역량 키우기
[12책] 1~6학년 학기별

쏙셈 분수·소수
3~6학년 분수·소수의 개념과 연산 원리를 집중 훈련하기
[분수 2책, 소수 2책] 3~6학년 학년군별

하루한장 한국사

큰별★쌤 최태성의 한국사
최태성 선생님의 재미있는 강의와 시각 자료로
역사의 흐름과 사건을 이해하기
[3책] 3~6학년 시대별

하루한장 한자

그림 연상 한자로 교과서 어휘를 익히고 급수 시험까지 대비하기
[4책] 1~2학년 학기별

하루한장 급수 한자

하루한장 한자 학습법으로 한자 급수 시험 완벽하게 대비하기
[3책] 8급, 7급, 6급

하루한장 ENGLISH BITE

ENGLISH BITE 알파벳 쓰기
알파벳을 보고 듣고 따라쓰며 읽기·쓰기 한 번에 끝내기
[1책]

ENGLISH BITE 파닉스
자음과 모음 결합 과정의 발음 규칙 학습으로
영어 단어 읽기 완성
[2책] 자음과 모음, 이중자음과 이중모음

ENGLISH BITE 사이트 워드
192개 사이트 워드 학습으로 리딩 자신감 키우기
[2책] 단계별

ENGLISH BITE 영문법
문법 개념 확인 영상과 함께 영문법 기초 실력 다지기
[Starter 2책 , Basic 2책] 3~6학년 단계별

ENGLISH BITE 영단어
초등 영어 교육과정의 학년별 필수 영단어를
다양한 활동으로 익히기
[4책] 3~6학년 단계별

초등 교과서 발행사 미래엔의
교재로 초등 시기에 길러야 하는
공부력을 강화해 주세요.

하루 한장

초등 국어 교과서 발행사 미래엔의

★★★★ ★★
문해력 향상 프로젝트

문해력의 기본을 다져요

1~6학년 단계별 총 6책

1~6학년 단계별 총 6책

하루 한장 어휘로 필수 어휘 익히고!

❶ 학습 단계별로 필수 어휘를 선정하고 난이도를 구분하여 어휘 실력을 키워 갑니다.

❷ 독해 지문을 읽고 문제를 풀어보면서 어휘 실력을 확인합니다.

❸ 교과서 및 실생활 등에서 사용하는 어휘 활용을 익혀 문해력의 바탕을 다집니다.

하루 한장 독해로 기본 독해력을 다지고!

❶ 초등 학습의 바탕이 되는 문해력의 기본을 다질 수 있습니다.

❷ 교과 학습 단계에 맞추어 체계적으로 실력을 키워 독해의 자신감을 기릅니다.

❸ 새 교육과정에 따라 다양한 지문과 매체 자료 등을 독해합니다.